Sommario

Introduzione 6

Provincia di Belluno 10

Provincia di Padova 18

Provincia di Rovigo 62

Provincia di Treviso 70

Provincia di Udine 100

Provincia di Venezia 108

Provincia di Verona 150

Provincia di Vicenza 162

Bibliografia 191

Introduzione

«Una villa è un edificio progettato per sorgere in campagna e finalizzato a soddisfare l'esigenza di svago e di riposo del suo proprietario. Benché essa possa costituire anche il nucleo di un'azienda agricola, l'elemento piacere è ciò che distingue la villa intesa come edificio residenziale dalla fattoria e i terreni ad essa collegati dalle terre a sfruttamento agricolo». Così James Ackerman definisce genericamente la tipologia della villa nel suo *La villa. Forma e ideologia* (Torino 1992), accentuando la soddisfazione delle esigenze psicologiche e ideologiche rispetto a quelle materiali, e sostenendo come il programma di base della villa sia rimasto sostanzialmente inalterato da quando fu stabilito per la prima volta dall'antico patriziato romano.

La villa non può essere compresa prescindendo dal suo rapporto con la città, vale a dire che esiste non per assolvere funzioni autonome, ma per controbilanciare valori e vantaggi della vita urbana, con la condizione economica di un'entità satellite. Essa va considerata un paradigma tanto architettonico quanto ideologico, il cui significato si radica nel contrasto tra campagna e città, nel quale le virtù e i piaceri dell'una sono in antitesi ai vizi e agli eccessi dell'altra. Tale ideologia si trova ampiamente sviluppata nella letteratura latina e ripetuta in periodi successivi. Identici appaiono attraverso i secoli vantaggi e piaceri della vita in villa: benefici pratici della vita agricola, salute del corpo assicurata dall'aria pura e dall'esercizio fisico (particolarmente la caccia), riposo e distensione favoriti da letture e conversazioni con amici "virtuosi", contemplazione di un paesaggio piacevole.

Dal punto di vista economico si possono distinguere le ville in due categorie: la tenuta agricola autosufficiente che produce anche un guadagno attraverso il commercio dei prodotti in eccesso; la villa descritta da Leon Battista Alberti come dimora concepita per semplice diletto, luogo di ritiro e riposo, che per la costruzione e il mantenimento dipende da eccedenze di capitale derivate dalle attività urbane del proprietario.

La villa è l'espressione di un complesso di miti origine della sua realizzazione: attrazione verso la natura, dialettica tra natura e artificio, prerogative di privilegio e potere. Secondo Ackerman la natura mitica dell'ideologia della villa la libererebbe dai vincoli materiali di utilità e produttività e la renderebbe idealmente adatta alle aspirazioni creative di committenti e artisti.

In territorio veneto, in particolare, emergono principalmente due temi dall'analisi del fenomeno: il problema dello sfruttamento delle campagne da parte della nobiltà cittadina, espropriata dei suoi poteri dall'avanzare della potenza veneziana; la rappresentazione a partire dalla metà del Quattrocento, negli scritti umanistici, di uno spazio deputato all'*otium*, inteso come fuga dalla realtà, secondo uno stile di vita che trova la sua legittimazione nel confronto con gli antichi.

Architettonicamente, le prime testimonianze di abitazioni nobiliari nel territorio si presentano come fabbricati rurali adattati alla saltuaria presenza dei proprietari.

Il primo Quattrocento viene considerato il momento iniziale per poter parlare di "villa veneta", in occasione dell'annessione da parte della Serenissima di Vicenza nel 1404 e di Padova e Verona nel 1405. Per la svolta politica ed economica di Venezia si avanzano varie motivazioni: la disponibilità improvvisa di un notevole patrimonio di terre, la difficoltà dei commerci marittimi dovuta al cambio delle rotte in seguito alle nuove scoperte geografiche e alla conquista di Costantinopoli da parte dei turchi, l'aumento dei prezzi agricoli nel primo Cinquecento. Ma soprattutto si verifica un cambiamento di mentalità: muta l'idea di mercante e di mercatura, acquistando valenze diverse. La classe dominante veneziana, mercantile per tradizione, sembra seguire la via imboccata dai nobili delle città dominate: legati strettamente a un recente passato feudale, questi individuano nel ripopolamento e nel potenziamento delle campagne una reazione all'annessione alla Repubblica, che aveva indebolito le loro reali possibilità di controllo sulle città.

Si sono proposte alcune ipotesi sulla genesi della tipologia di villa in territorio veneziano: una individua il momento costitutivo nel modello derivato dal castello, che venute meno le ragioni difensive si trasforma in abitazione di villeggiatura e di riposo. Un altro prototipo, sempre tratto da costruzioni fortificate, sembrerebbe la villa a loggiato: un portico al piano terra e un loggiato al primo, spesso addossati a un corpo massiccio e verticale, memoria di antiche torri. Molte ville quattrocentesche, e non solo, derivano comunque dal prototipo della casa veneziana, vale a dire quel modello di palazzo patrizio che dominerà incontrastato e immutabile dalle origini della città, variabile solo nei particolari esteriori ma mai nella sostanza: si tratta di una tripartizione delle piante di ogni livello e del prospetto principale, mentre gli altri tre non hanno alcuna funzione estetica: la sezione centrale è occupata da un salone passante o a T, che si riflette in facciata con polifore, e nei primi tempi, nella casa-fondaco, al piano terra con un porticato con accesso sull'acqua, mentre le due sezioni laterali comprendono le camere più piccole, che in facciata corrispondono a settori dove la muratura piena prevale sulle finestrature, di solito una o due monofore per lato. Il piano nobile è in genere uno, quando non si raddoppia per ospitare più nuclei della stessa famiglia. Dalle costruzioni caratterizzate da un pronao in facciata nasce il tipo della villa-tempio, ideato da Andrea Palladio, e da quelle individuate da due piani con ordini sovrapposti quello di villa-palazzo.

La villa sei e settecentesca ripete tipi precedentemente consolidati: viene dato massimo valore al salone centrale, riconoscibile anche dall'esterno per la sopraelevazione a timpano o a cupola; a doppia altezza, è interrotto da un ballatoio a sbalzo al quale si affacciano porte e finestre degli ambienti superiori. Importanti si fanno giardini e parchi, ricchi di torrette, esedre, cedraie, belvedere, labirinti, grotte, pagode, fontane, peschiere e giochi d'acqua.

Caratteristica del Settecento ed evoluzione della villa-palazzo sorge la villa monumentale, che coincide anche con il periodo finale di vita della Repubblica, mentre a conclusione della parabola si pone il palladianesimo del neoclassicismo e in particolare le architetture e i giardini di Giuseppe Jappelli; possiamo considerare come ultime ville venete, anche se sempre più lontane dal modello iniziale, quelle sorte al più tardi nel terzo quarto del secolo scorso, ormai spesso dimora della nuova borghesia e non più della nobiltà di terraferma o del patriziato veneziano.

Provincia di Belluno

1 – Villa Fulcis, Montalban

Cusighe, Safforze, via Safforze

La villa, un imponente edificio che si staglia sullo sfondo delle cime del monte Serra, fu eretta nel Cinque o Seicento dai Fulcis, che passarono la proprietà ai conti Montalban a metà Ottocento. Il corpo principale è articolato in tre piani; quello di terra ha due assi di piccole finestre rettangolari ai lati, mentre al centro si apre con un portico su colonne tuscaniche

binate a cinque archi. Il piano nobile ha finestre centinate e sopra l'arco centrale del portico inferiore trifora balconata. Il mezzanino ha finestre quasi quadrate e trifora in asse a quella sottostante, e al di sopra un abbaino con trifora centinata e lesene, coronato da timpano e raccordato da volute. Si tratta in sostanza di una versione piuttosto semplificata e sviluppata in larghezza del tipo della casa veneziana, in particolare delle origini, con fondaco a piano terra con relativo porticato.
Le ali laterali sono estremamente semplici, a due piani.

2 – Villa Rudio, Milanesi

Sedico, Landris, via dei Fanti 11-13

Malgrado la zona decentrata nel territorio della Repubblica, la villa rispecchia diversi elementi dell'architettura veneziana. Ha due piani e un mezzanino, due assi per lato di finestre centinate con cornice piana sovrastante e portone d'ingresso centrale con lo stesso tipo di modanature, affiancato da due fori quadrati, al piano terra; le finestre ripetono la forma ma con proporzioni maggiori al piano nobile, che al centro ha una trifora con balcone. Aperture pressoché quadrate nel mezzanino, con trifora centrale dai fori simili ma più alti. Abbaino con trifora centinata, timpano con occhio centrale e vasi acroteriali, camini veneziani a campana rovescia. Una lenta rampa conduce all'ingresso attraverso il giardino. All'interno decorazioni pittoriche, a stucco e arredi d'epoca.

3 – Villa Buzzati, Traverso

Visome, San Pellegrino, via Visome 18

Si tratta di un complesso romantico posto in una splendida posizione panoramica che domina Belluno e le sue Alpi, sopra il corso del Piave.
L'edificio residenziale è costituito da un corpo centrale affrescato da Vizzotto e da un'ala est neogotica di Andrea Sala, con affreschi di Pompeo Molmenti e Pavolin, e in facciata dipinti di Luigi da Rios.
Fronteggia la villa dal giardino una falsa rovina di castello.
Infine la chiesetta a pianta decagonale, eretta dopo il 1530 da Jacopo Sacello, membro della famiglia all'epoca proprietaria, dove è sepolto lo scrittore Dino Buzzati, che dimorò nella villa.

Provincia di Padova

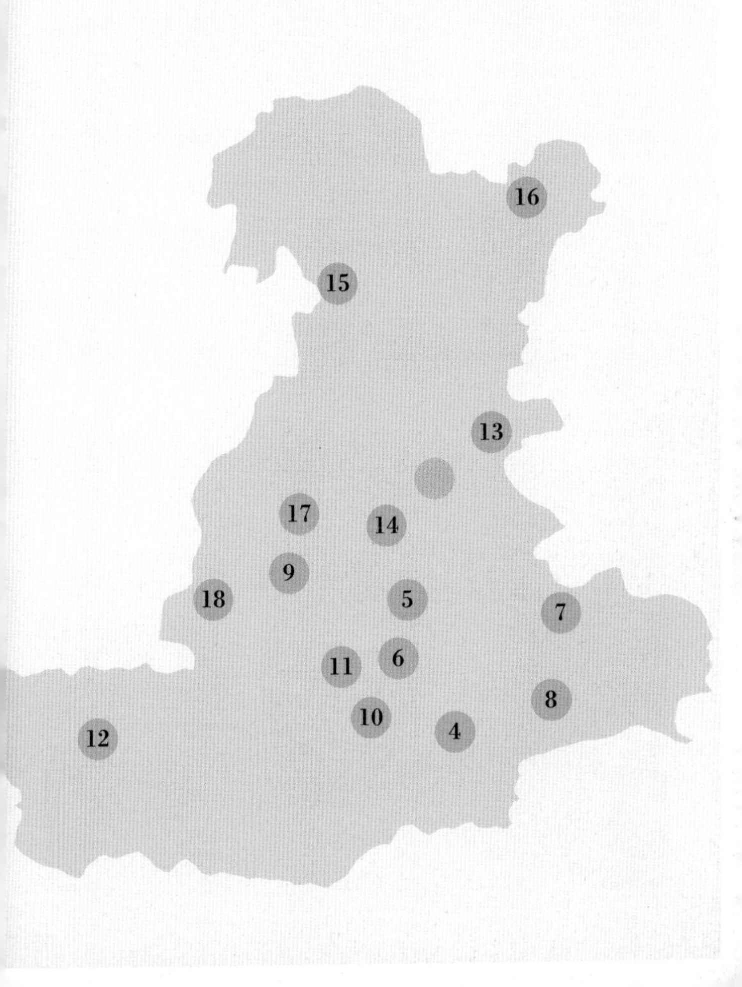

4 – Villa Widmann

Bagnoli di Sopra, Borletti, piazza Marconi 43

Nel 1656 i Widmann acquistarono edifici e terreni di un monastero soppresso e negli anni sessanta vi fecero costruire la villa su progetto di Baldassarre Longhena. Sulla piazza del paese, probabilmente sortovi intorno, essa si dispone con un fronte lungo e monumentale, dove la parte padronale aggetta tramite una grandiosa loggia. Sul retro si stende il giardino settecentesco di gusto francese, con siepi di carpini potate a creare camere ed esedre, dove le protagoniste sono centosessanta statue, le maggiori di Antonio Bonazza, commissionate da Lodovico Widmann nel 1742. Fin dall'epoca umanistica il giardino è luogo teatrale ma qui, da sfondo scenografico, diventa teatro popolato da attori della Commedia dell'Arte, anche se non manca qualche personaggio allegorico o mitologico. La villa divenne infatti famosa come sede di attività teatrali alle quali partecipava anche Carlo Goldoni come autore e attore.

5 – Casa d'Este, detta «Castello del Catajo»
Battaglia Terme, Catajo, via Catajo

Il complesso del Catajo prende il nome dalla località in cui sorge, addossato al colle Sieva, lungo il Brenta, alle pendici dei colli Euganei, e trae origini da una villa che si affacciava con una loggia verso il canale, dove la colta Beatrice Pia degli Obizzi teneva un eletto salotto letterario. Il figlio Pio Enea I, uomo d'arme della Serenissima, innamoratosi della vista che si godeva dall'altura, aggiunse a monte una torre-belvedere, con sale decorate da affreschi di Giovan Battista Zelotti raffiguranti le imprese guerresche di Pio Enea e dei suoi avi, facendone dirigere i lavori ad Andrea Della Valle dal 1570 al 1573 circa. L'aspetto esterno era di fortezza, con torricine, merlature, archi trionfali e ponte levatoio. L'imponente fabbrica eretta sul retro, determinante quindi due livelli, necessitò di impegnativi lavori di spianamento e terrazzamento. Tra colline e vallate un ampio parco, attraversato dal fiumicello Rialto, era adibito a riserva di caccia. Anche il marchese Pio Enea II apprezzava la proprietà, al punto che da quando la ereditò, nel 1648, per diciotto anni non fece che accrescerla e ristrutturarla. Nel 1803 l'ultimo degli Obizzi, Tommaso, che non aveva mancato di arricchirla, tra l'altro di collezioni d'armi, monete, quadri, strumenti musicali e reperti archeologici, la lasciò al duca di Modena. Nelle mani degli Asburgo, che pure l'ampliarono ma ne trasferirono a Vienna le raccolte, la villa arrivò ad avere trecentocinquanta stanze distribuite su quattro piani.

I terreni comprendono fontane scenografiche del Seicento e di fine Cinquecento, come la splendida fontana dell'Elefante, statue, mascheroni, uccelliere, un labirinto di siepi, una loggia a diciassette arcate verso il canale, giardini pensili, logge, terrazze, una peschiera, una vasca per il nuoto e il grande cortile dei Giganti, infossato, anticamente adibito a naumachie, tornei e spettacoli. Gli affreschi esterni sono andati perduti.

6 – Villa Selvatico, Emo Capodilista

Battaglia Terme, Sant'Elena, via dei Colli

Benché nel XVII secolo fosse andata intensificandosi la costruzione di ville, tale fervore non fu caratterizzato in generale da tratti esteriori particolari. L'architettura della villa secentesca si può definire come una libera combinazione di forme e decorazioni note, talvolta con risultati sorprendenti, ma raramente con soluzioni innovative. Nel trevigiano, ma ancor più nel padovano, la stagione barocca inizia per tempo, propiziata forse dai nuovi fermenti culturali recepiti e diffusi dall'Università. Villa Selvatico ne è una conferma: iniziata a fine Cinquecento, si sviluppa nel primo Seicento in termini decisamente nuovi e svincolati dalla tradizione classica precedente, per essere completata nel 1647. L'accostamento coraggioso di elementi classici – due ordini sovrapposti di semicolonne e lesene doriche e ioniche trabeate e coronate da timpani – con elementi medievali – torri con alte merlature ai quattro angoli – e addirittura orientaleggianti – la cupola che, cieca, rivela l'unica funzione di farsi scorgere da lontano –, improponibile sino a pochi decenni prima, realizza un complesso scenografico e suggestivo. L'edificio è impostato per essere visto dai quattro lati, con i prospetti opposti uguali e comunque tutti simili, priva di adiacenze e dominante la pianura dalla collinetta sopra le antiche Terme. Benedetto Selvatico fece costruire poco dopo il 1646 ad Antonio Forzan lo scalone a sette rampe che giungeva al Brenta, mentre in seguito è mutato il rapporto di villa e giardino con il paesaggio circostante a causa del notevole rialzo degli organi.

Il salone a crociera è decorato da affreschi del 1650 di Luca da Reggio: dall'*Eneide* virgiliana, il ciclo narra le gesta dell'eroe troiano Antenore, mitico fondatore di Patavium. Al soffitto tela ottagona del Padovanino con *La gloria di casa Selvatico*. Agostino Meneghini, uno dei proprietario, volle adattare il colle a parco all'inglese dandone nel 1816 l'incarico a Giuseppe Jappelli.

7 – Villa Roberti, Frigimelica, Bozzolato

Brugine, via Roma 102

Il complesso di villa e barchesse sorse al centro di una grande proprietà fondiaria della famiglia padovana dei Roberti, eretto da Andrea Della Valle tra 1544 e 1551. L'architettura molto semplice lascia posto agli affreschi interni ed esterni di Giambattista Zelotti e allievi, e alle sovrapporte di Paolo Veronese. I dipinti del salone simulano un ordine dorico trabeato a colonne scanalate che si apre sul paesaggio, con scene ispirate alle *Metamorfosi* di Ovidio; paesaggi e grottesche ornano il vestibolo, personaggi mitologici e scene di villeggiatura la loggia.

Le principali particolarità della villa sono costituite dalla pianta: l'ingresso principale è formato da una gradinata semiottagonale che conduce a una loggia interna a tre fonici, quello centrale di passaggio e i laterali balaustrati; quindi uno stretto vestibolo sbocca nel mezzo della sala trasversale, che, piuttosto poco profonda, si sviluppa notevolmente in larghezza, da un prospetto laterale all'altro, tagliando la casa in due sezioni di uguali dimensioni e simile distribuzione; sul retro un cortile chiuso.
Nel Seicento la tenuta passò ai Frigimelica, di cui faceva parte anche l'architetto Girolamo (1653-1735), che ampliarono le finestre del mezzanino sul fronte strada e introdussero le serliane con scale a doppia rampa alle testate della sala.

8 – Villa Garzoni, Michiel, Carraretto

Candiana, Ponte Casale, via Liston 6

Intorno alla metà del Quattrocento i veneziani Garzoni acquistarono dei terreni a sud di Padova e per circa un secolo si dedicarono a espandere la proprietà, bonificare le paludi e migliorare i raccolti, finché Alvise Garzoni non decise di edificarvi la residenza padronale, costruita probabilmente tra 1537 e 1550.
Jacopo Tatti detto il Sansovino (1486-1570), scultore-architetto fiorentino di nascita e romano di esperienze, giunto a Venezia dopo il Sacco di Roma del 1527, introdusse in città una ventata di classicismo, uno stile rinascimentale ormai nettamente consolidato nella città dei papi. A lui si deve il vero "ammodernamento" dell'aspetto di piazza San Marco, rappresentativa del potere della Serenissima, con la Libreria, la Zecca e la Loggetta.
Questo è il solo esempio di villa in cui si cimenta. Il prospetto ha elementi in comune con il tipo del palazzo veneziano, la funzione di quinta bidimensionale, come se non prendesse in considerazione la vista dei fianchi, e l'apertura del settore centrale fra due blocchi laterali. Dietro il piano di facciata, attraverso gli archi, si ha uno sfondamento progressivo, le arcate si ripetono in profondità determinando un cannochiale prospettico che termina nella campagna. Al settore centrale non corrisponde dunque il tipico salone passante veneziano, ma il cortile interno alla romana. La facciata è costituita dal solito zoccolo di base per la difesa dalle inondazioni e la sistemazione dei locali di servizio, e da due piani nobili, con tre assi di finestre centinate nelle parti laterali e un doppio loggiato centrale a cinque fornici inquadrati da un ordine trabeato a semicolonne, doriche sotto e ioniche sopra; da notare, in relazione al ruolo dei fianchi, che il fregio dorico si estende per tutta la facciata, per interrompersi poco dopo girati gli angoli! Salita un'ampia gradinata e passati gli archi, ci si trova in una loggia, che ripete le stesse arcate conducendo sotto un portico, che ripete le stesse arcate conducendo al cortile, quadrato, cintato da altri due portici uguali perpendicolari e da un muro aperto da finestre su un vasto brolo, che comunque ripete gli stessi cinque assi reiterati a partire dalla facciata. È la loggia della facciata, dunque, che moltiplican-

dosi, parallela o ortogonale, crea l'intero volume dell'edificio. Ai lati della loggia si sviluppano due sale simmetriche della stessa profondità, la profondità del portico determina le dimensioni dei due blocchi scale simmetrici e delle tre sale per parte, in *enfilade*, collegate tra loro e con il cortile. Il portico regge una terrazza con balaustra e statue settecentesche. Il pavimento del cortile pensile fu dotato di pendenze e ondulazioni affinché le acque piovane convergessero nel pozzo centrale, raccogliendosi in una cisterna nelle sostruzioni della villa; una serie di condutture distribuiva queste acque sotto ai pavimenti del piano terra per refrigerare gli ambienti dall'afosa calura estiva e successivamente nel giardino per irrigarlo.
Negli interni camini e sculture sansoviniane di grande bellezza.
In definitiva, questo edificio è dominato dal gusto dell'*inventio* e della sorpresa ormai indispensabili nell'architettura romana: enorme palazzo da fuori, all'interno rivela di essere soprattutto un concerto di spazi aperti e semiaperti che sacrificano gli ambienti chiusi relegandoli a una relativamente stretta sezione delle ali laterali, congegno assai adatto a una residenza estiva.
La corte domenicale fu sistemata a giardino nel Settecento, ripartita secondo gli assi architettonici del prospetto e arricchita da statue. L'accesso alla corte rustica avviene attraverso un portale che è rappresentativo del manierismo, dalle forme classiche frantumate e ricomposte, e affogate nella materia grezza di falsi conci in laterizio.

9 – Villa Barbarigo, Pizzoni Ardemani

Galzignano Terme, Valsanzibio, via Diana

Il complesso, situato nella piccola conca di Sant'Eusebio nei colli Euganei orientali, è circondato da ridenti colline ad anfiteatro e vanta, oltre al più celebre, meglio conservato e documentato giardino veneto secentesco, il labirinto arboreo più vasto e meglio conservato d'Europa. I lavori di sistemazione del giardino, di 1500 mq, furono iniziati dai Contarini ma l'aspetto attuale si deve all'intervento, nel 1669 circa, dei fratelli Barbarigo: Antonio, senatore e poi procuratore di San Marco, e il beato Gregorio, vescovo di Padova.
L'area è divisa in quadranti da un asse longitudinale di circa 400 metri che, attraversando la villa, prosegue fino alla cima del colle con un viale di cipressi, il quale si interseca a circa due terzi con uno trasversale che

segna il punto più basso del terreno, dove si trovano tre peschiere digradanti, e con altri assi perpendicolari. Chioschi, belvedere, esedre, voliere, carpini, aceri, lecci, querce, olmi e cipressi, raggruppati o in filari fiancheggiano viali e vialetti, creando percorsi, piccole radure e silenziosi meandri. La statuaria indica un itinerario piacevole e pedagogico: l'isola dei conigli, la fontana del cigno – simboli di fecondità e purezza –, la collinetta del Tempo, la fontanella ottagonale di marmo rosso con numerose statue, il piazzale dei giochi d'acqua.
Fulcro di allusioni e allegorie il labirinto di fitte siepi di bossi, quadrato, di circa 3000 mq per un percorso di 1500 metri, concentrico a linee parallele, da percorrere tutto per arrivare al centro, come la via terrena verso il bene cosparsa di prove dolorose. Di grande interesse il Bagno di Diana, adorno di statue, che originariamente costituiva l'ingresso d'acqua, all'estremità dell'asse trasversale.
La villa, molto piccola rispetto al complesso, segue lo schema più tradizionale di villa veneta sei-settecentesca.

10 – Villa Cortuso, Maldura, Emo Capodilista

Monselice, Rivella, via Padova 4

La villa fu eretta nel 1588 e viene tradizionalmente attribuita a Vincenzo Scamozzi.
Si tratta di un blocco isolato molto semplice, a un piano rialzato al quale si giunge tramite due rampe di scale laterali, che collegano al terreno un pronao tetrastilo con timpano dentellato e stemma, a colonne con capitelli corinzi in cotto.
In origine questo era il prospetto principale rivolto al canale della Battaglia, con accesso dall'acqua al quale era collegato, e la villa emergeva nettamente sugli argini; questi ora sono stati notevolmente rialzati e la situazione, come per molti complessi sorti sulle rive di corsi d'acqua, si è invertita, vale a dire che gli argini sono rialzati rispetto all'edificio.
Il giardino è stato risistemato recentemente, ripristinando due peschiere originarie.

11 – Villa Duodo, Balbi, Valier

Monselice, via Sette Chiesette

Sull'ultimo tratto di via del Santuario, che salendo intorno al colle conduce alla Rocca di Monselice, attraversando un portale ad arco in trachite – la Porta Romana – si entra nella tenuta dei Duodo.
Pietro Duodo, inviato di Venezia presso la Santa Sede, ottenne nel 1592 il consenso di demolire un convento di monache cui apparteneva l'area e

di costruire con l'amico Vincenzo Scamozzi la villa e la nuova chiesa di San Giorgio terminata nel 1605. La chiesa è anche l'ultima stazione di una "via sacra" di sei piccole cappelle, più tarde, denominate come le sette basiliche di Roma (tranne San Pietro); recarvisi in pellegrinaggio – grazie a un privilegio concesso da papa Paolo V nel 1605 – garantiva le medesime indulgenze ottenibili tramite la visita alle omonime basiliche romane. Sulla piazzetta su cui affacciano la villa e la chiesa scamozziane, intorno al 1740 eresse una nuova ala Andrea Tirali (1657-1737), architetto delle

chiese di San Nicola da Tolentino e di San Vidal a Venezia. Egli arricchisce di statue e rilievi le serliane originarie della facciata della villa, determinando una concessione eccessiva alla teatralità, nella difficoltà di far supportare elementi ridondanti a un'intelaiatura sostanzialmente scarna. Verso la Rocca, una grandiosa esedra con un'imponente scalinata settecentesca cinge la piazza della villa, con fontana centrale.
Sempre sulla piazza, all'interno di nicchie, i busti di tre Duodo, opera di Alessandro Vittoria.

12 – Villa Pisani, Placco

Montagnana, Borgo San Zeno, via Borgo Eniano 1

L'edificio fu costruito verso il 1550 da Andrea Palladio per Francesco Pisani. La posizione, proprio di fronte a porta Padova, in faccia alla cinta muraria, determina la rigida volumetria cubica e il ritorno a due piani nobili, conferendo all'edificio un aspetto da palazzetto suburbano. Il fronte su strada presenta un doppio ordine tetrastilo – ionico su dorico – di semi-

colonne che, senza alcuna sporgenza (impedita appunto dal passaggio della via) esaltano la sezione centrale della fabbrica, coronata da un timpano con stemma sorretto da due geni alati di Alessandro Vittoria. Lo stilema – che si ripete nella facciata opposta, sul giardino, ma qui con logge rientranti a colonne libere – corrisponde all'interno a una sala voltata a quattro colonne, con statue delle *Quattro stagioni* sempre di Vittoria nelle nicchie, riferimento colto agli ambienti termali dell'antica Roma, ripreso nel Cinquecento dai più raffinati architetti rinascimentali.

13 – Villa Giovanelli

Noventa Padovana, via Cappello 241

La villa, edificata nel tardo Seicento forse da Antonio Gaspari, presenta, su un piano alto e due mezzanini, quattro semplici assi per lato mentre i tre centrali sono protetti da un colossale pronao esastilo corinzio su colonne, coronato da timpano con stemma e statue sugli acroteri, a base semiottagonale, al quale venne aggiunta nel 1738 da Giorgio Massari una grandiosa scalinata, con sei statue sulle balaustrate di Antonio Tarsia, Antonio Gai e Marino Groppelli. Nel salone a doppia altezza affreschi di Giuseppe Angeli, ora assai rovinati, stucchi incornicianti tele e medaglioni nelle stanze laterali.
Al 1738 risaliva anche il giardino, un tempo celebre ma di cui resta ben poco, ornato di cancellata, labirinto e padiglioni.

14 – Villa Molin, Capodilista, Conti, Dondi dell'Orologio, Kofler

Padova, Mandriola, via Ponte della Cagna 106

Nel 1597 Vincenzo Scamozzi iniziò la costruzione della villa per l'ambasciatore veneziano Nicolò Molin, sulla riva del canale della Battaglia presso il ponte della Cagna. L'edificio si presenta centrale, a pianta quadrata, con una sala ancora quadrata al centro, il cui lato è in rapporto di uno a due con quello del perimetro esterno e si sviluppa in altezza fino a sfondare la copertura per emergere con un corpo a base quadra e una termale per lato a illuminare il salone. Il prospetto verso il canale è però notevolmente enfatizzato dalla presenza di un pronao fortemente aggettante, ionico, privo di accessi diretti dal terreno, con stemma nel timpano dentellato, la cui cornice orizzontale prosegue la linea di gronda, e statue sugli acroteri. Questo imponente volume sposta il baricentro dell'edificio intaccando la sua centralità, e orientandolo nettamente verso l'acqua. Gli altri prospetti sono infatti molto diversi, e sui fianchi risaltano solo delle semplici serliane. Lo zoccolo a bugnato gentile è stato sacrificato dai rialzamenti del terreno, come sempre nei complessi in riva ai corsi d'acqua.
La sala è completamente affrescata. Si conservano il giardino scamozziano con statue settecentesche e fontana, il parco e la corte.
Durante la prima guerra mondiale la villa fu sede di alti comandi militari, e fu qui che venne redatto il programma dell'armistizio poi firmato il 3 novembre 1918 a villa Giusti.

15 – Villa Contarini, Camerini, Simes

Piazzola sul Brenta, via Luigi Camerini 1

Si tratta di uno degli organismi più grandiosi della regione, per il quale si è pensato a un progetto palladiano del 1546 per Francesco e Paolo Contarini, relativo al blocco centrale. Dal 1676 Marco Contarini, procuratore di San Marco, modifica radicalmente il complesso, con la decorazione del corpo centrale, l'aggiunta di ali laterali e barchesse, la trasformazione dell'ala est in galleria con telamoni su ordine rustico, coperta da una terrazza adorna di statue; altre si trovano nel parco, sulla balaustra della

peschiera e sulle edicole del ninfeo dai timpani arcuati e triangolari alternati, ora racchiudenti nicchie, ora aperti con grate verso il bosco. La villa non è intesa solo come "luogo di delizie", di *otii* umanistici contrapposti ai *negotii*: la roggia che anima il giardino irrigava le risaie, muoveva le macine dei mulini, i mangani dei fabbri, le seterie. Nel 1680 Marco Contarini concepisce la grande piazza a emiciclo di fronte alla villa, con il portico su pesanti colonne rustiche, per le fiere, che verrà realizzato per metà alla fine del secolo. Vi erano anche due teatri, una sala per concerti con un particolare sistema di acustica, che permette di tenere nascosti i musicisti, affreschi in gran parte di Michele Pimon, del 1684

circa, altri di scuola di Giulio Romano e ancora di Dorigny, sala da ballo, stucchi di Temanza, del 1770, oratorio circolare neoclassico, pinacoteca, gipsoteca, museo lapidario, museo delle mappe, biblioteca, galleria d'arte moderna. Il giardino antistante la facciata fu ridisegnato con grandi *parterres* e fontana centrale nel 1868 da Eugenio Maestri per Luigi Camerini e quello retrostante da Lupati e Oblach nel 1892 per Paolo Camerini, che fino al 1924 fece di Piazzola una cittadina modello, con importanti stabilimenti industriali e case operaie fra giardini e orti. Resta il lago con l'isola dove su un monticello sorge un bronzo di *Cristo* di Luigi Bistolfi. L'aspetto attuale conserva il pesante barocco dei Contarini alleggerito dal liberty e dall'eclettismo dei Camerini.

16 – Villa Cornaro o Corner

Piombino Dese, via Roma 35

Andrea Palladio la progettò negli anni cinquanta del Cinquecento per il patrizio veneziano Giorgio Cornaro, ma la realizzazione proseguì oltre la fine del secolo. Il modello richiama molto da vicino l'unica altra opera palladiana degli stessi anni, villa Pisani a Montagnana, anche se qui si trovano riunite le condizioni svilupparlo più liberamente.
Il doppio ordine di logge, corinzio su ionico, si amplia in larghezza dive-

nendo esastilo e avanza aggettando dalle ali laterali, che pure si allungano simmetricamente dal blocco centrale; ancora la loggia si ripete, sempre interna, sul retro, e corrisponde alla sala centrale, di nuovo a quattro colonne con sculture di Camillo Mariani (1593-1595) nelle nicchie, ma qui non voltata bensì con soffitto a travi.
È anticipata da centoquattro affreschi di Mattia Bortoloni (1717) per Andrea Cornaro, stucchi di Bortolo Cabianca; ricco giardino con aiole, peschiere, portici e loggiati, spazi rurali.

17 – Villa Emo Capodilista

Selvazzano Dentro, Feriole, Montecchia, via Montecchia 11

La villa si può definire davvero unica in quanto si tratta di un edificio a pianta centrale *perfettamente* simmetrica.
Da secoli l'altura di Montecchia e i terreni circostanti appartenevano alla famiglia Capodilista e nel 1568 Gabriele commissionò l'edificio – utilizzato anche come teatro per le sue qualità scenografiche – al pittore e architetto Dario Varotari (1534-1596), di origine tedesca e discepolo di Paolo Veronese, che in quel periodo lavorava a un ciclo di affreschi nella vicina abbazia di Praglia. Varotari spianò la cima del colle, creando un giardino all'italiana con cinta a forma di quadrato quadrilobato sugli assi dei lati, assi che si materializzano e s'incrociano al centro: partono come scale dal recinto, proseguono come viali, entrano nella villa a pianta quadrata, attraversano una loggia e uno ritorna a formare scale, che nel cuore dell'edificio – al centro della pianta così suddivisa in quattro quadrati identici, e a metà altezza –, sostano su un pianerottolo e girando ad angolo retto lungo l'asse perpendicolare raggiungono le logge al piano superiore sugli altri due prospetti della fabbrica. Il risultato è una pianta quadrata, con quattro doppi loggiati a cinque archi, tra lesene doriche al piano terra bugnate, quattro pseudo torrette angolari, una croce di scale al centro che determina quattro stanze quadrate su entrambi i piani; sui prospetti, perfettamente identici, l'aspetto delle torrette viene celato e ingentilito da slanciate volute di raccordo ed elementi decorativi, con effetto orientaleggiante e fiabesco. Assieme ad Antonio Vassillacchi detto l'Aliense (1556-1692), Varotari affrescò gli interni; nella stanza delle Ville sono rappresentate le altre proprietà della famiglia; eleganti motivi in stile *rocaille* furono aggiunti nel Settecento. Nei pressi si trova tuttora un castello medievale dal cui centro svetta un'imponente torre, con una chiesetta cinquecentesca; la corte ospita un museo della civiltà rurale. Secondo la tradizione vi avrebbe avuto luogo un difficile incontro tra sant'Antonio ed Ezzelino da Romano alla presenza del beato Giordano Forzatè, antenato dei Capodilista. Questi nobili padovani fondendosi con la famiglia patrizia veneziana degli Emo diedero origine al ramo Emo Capodilista.

18 – Villa Olcese, detta «dei Vescovi»

Torreglia, Luvigliano, via dei Vescovi

La villa sembra essere stata commissionata dal vescovo veneziano Francesco Pisani, tramite l'umanista Alvise Cornaro – il quale tra il 1529 e il 1538 era suo amministratore –, a Giovanni Maria Falconetto (1468-1534), che già aveva lavorato con successo a Padova per Cornaro. Costruita quindi in quegli anni fu probabilmente completata intorno al 1542 da Andrea Della Valle, autore delle barchesse e del muro di recinzione con portali monumentali, che presenta archi rovesci e sfere in pietra come nella Badoera e in villa Garzoni. La villa sorge in una posizione panoramica dei colli Euganei, su un rilievo dove era esistito un castello medievale, sfruttandone le fondazioni. I pendii vengono utilizzati per creare scale e terrazzamenti, che formano con le barchesse un insieme interessante. Il corpo padronale è un imponente blocco a pianta quadrata a due piani, alleggerito dalle aperture che permettono di godere appieno del paesaggio. Il piano terra è a false bugne in laterizio, con archi su pilastri e scalinate a più rampe che formano complessi motivi architettonici sui due prospetti principali e opposti; questo piano appare piuttosto come un alto basamento che regga un unico vero livello, nettamente differenziato. Il piano superiore è strutturato come una loggia a cinque archi su piedritti inquadrati da lesene doriche, e da un

binato di lesene agli angoli, sui prospetti suddetti, con interni interamente affrescati, in parte recuperati dai restauri, attribuiti a Lambert Sustris, di Amsterdam. I fianchi ripetono il motivo ma senza le logge aperte, bensì con finestre centrate all'interno degli archi. La distribuzione non ha una simmetria bilaterale, e permane il salone passante veneziano, con testate nelle due logge, con le quali forma una doppia T, raddoppiando il modello del palazzo veneziano che ha sempre un unico prospetto principale, e sale laterali perpendicolari.

Provincia di Rovigo

20

19

21

19 – Villa Badoer, detta «La Badoera»
Fratta Polesine, via Tasso 1

La villa fu progettata intorno al 1556 da Andrea Palladio per il senatore Francesco Badoer e venne portata a termine intorno al 1568-1570; vi sono conservati affreschi di Giallo Fiorentino.
È caratterizzata da un imponente pronao ionico esastilo raggiunto da un'ampia scalea che ha un primo ripiano – che prosegue con una terrazza intorno all'intero fabbricato – dove era una vera da pozzo, ora nel giardino, con cisterna sottostante, e due rampe laterali che entrano nei portici tuscanici a esedra – primo esempio del genere – che insieme all'edificio separavano la corte dominicale, con due fontane con statue del primo Settecento, dal giardino retrostante, oggi scomparso. Il muro di cinta ad archetti rovesci con sfere di pietra è contemporaneo a quello di Andrea Della Valle in villa dei Vescovi a Luvigliano e anticipato da Sansovino a Ponte Casale, in villa Garzoni, edifici che ispirano l'intero progetto, specie nel suo ergersi su sostruzioni contenenti gli ambienti di servizio.

20 – Villa Molin, Bragadin, Grimani, Guerrini, Avezzù

Fratta Polesine, via Zabarella 1

Villa d'ispirazione palladiana – su modello dell'adiacente Badoera, della quale completa in certo modo l'ambientazione, e ancor più della Malcontenta – sorge tra la metà e la fine del Cinquecento ed è decorata, come la vicina, da affreschi di Giallo Fiorentino.
È composta da un volume principale preceduto da un pronao esastilo

dorico, che tuttavia mantiene il timpano di coronamento entro l'altezza dell'attico, senza quindi superare la linea di gronda, limitando l'effetto di slancio verticale; questo è contenuto anche dalla doppia finestratura delle ali laterali, con finestre peraltro spinte troppo vicino, l'una al pronao, e l'altra allo spigolo dell'edificio, contrariamente all'esempio palladiano che ne impone una unica, centrale.
Posto su uno zoccolo, il pronao è retto da cinque arcate in bugnato rustico in laterizio con scalinate laterali.

21 – Villa Morosini, Mantovani

Polesella, via Alessandro Selmi

Tradizione vuole che la più meridionale delle ville venete, sulla riva del Po, confine storico della Repubblica, sia stata eretta per i Morosini del ramo di Santo Stefano da Vincenzo Scamozzi, alla fine del Cinquecento, in un punto elevato rispetto all'argine, a cui era collegata; le continue inondazioni hanno reso necessari diversi rialzi dei terrapieni, fino a ridurre

la villa in una posizione decisamente infossata, anziché rialzata. Sviluppata in larghezza su un piano nobile e due mezzanini, uno inferiore e uno superiore, ha tre assi per lato e un settore centrale con pronao ionico tetrastilo a semicolonne e tre archi – più largo quello centrale – coronati da timpano e fastigio barocco più tardo, pronao congiunto al terreno da un'ampia scalinata. La vasta sala centrale, altissima, e altre sale, conservano decorazioni pittoriche di fine Cinquecento e barocche, pesanti stucchi, immensi camini con figure allegoriche e drappeggi secenteschi.

Provincia di Treviso

26
25
28
23
29
24
22
27

22 – Villa Tiepolo, Passi

Carbonera, Vascon, Castello, via Brigata Marche 26

Il complesso, eretto per il senatore e procuratore di San Marco Almorò Tiepolo, è costituito dalla villa con adiacenze laterali simmetriche che si piegano ad angolo retto, raccordate al corpo principale da doppie logge a tre assi; l'insieme forma un'ampia corte con aiole e fontana al centro ed è inserito in un parco con tempietto, scuderie, due serre, fontane, laghetto, busti, vasi ornamentali e statue attribuite a Giuseppe Bernardi detto il Torretti (1694-1774), maestro di Antonio Canova.
La villa è un blocco del primo Seicento perfettamente omologo a un palazzo veneziano: presenta trifore centrali con balconata e due monofore per lato con balaustrini; porte centrali – inferiore e superiore – ad arco, con finestre adiacenti architravate, superiori con specchiatura rettangolare soprastante, formanti il tipico stilema decisamente veneziano che ricorda la sovrapposizione di due serliane. Il piano terra ha finestre rettangolari e il piano nobile centinate, e fino a qui tutti i livelli corrispondono a quelli delle adiacenze, che però hanno solo finestre architravate. Poi la villa ha un terzo piano che si ritiene del tutto aggiunto o comunque in parte sopraelevato alla fine del Settecento, con le finestre rettangolari di quello terreno e i balaustrini di quelle del secondo, e per finire abbaino con monofora centinata, lesene, frontoncino di coronamento e volute barocche di raccordo. Tardo-settecentesche sarebbero anche le logge di collegamento alle ali laterali.
La trifora del piano nobile corrisponde al salone centrale, come sempre nei palazzi veneziani; la sala è decorata da affreschi secenteschi a soggetti mitologici tra prospettive dipinte e stucchi del Settecento; dei secoli XVII e XVIII anche mobili e arredi.
La chiesetta è arricchita da stucchi veneziani, altare di marmo con pala raffigurante i santi Domenico e Gaetano e al soffitto affresco con *La fede*; a fianco campanile con cupolino e orologio.

23 – Villa Zeno, detta «Il Donegal»

Cessalto, Donegal, via Donegal 11

La villa fu costruita per il patrizio Marco Zeno prima del 1566 su disegni di Andrea Palladio; essa compare nei suoi *Quattro libri dell'architettura*, ma con notevoli differenze.
Si tratta di un blocco a due piani, sviluppato in larghezza, con piccole finestre rettangolari e fasce marcapiano; il prospetto sul giardino si apre al centro con tre alti archi su pilastri, ai quali corrisponde sopra il cornicione

un semplice timpano, che si rispecchia sul prospetto opposto; questo ha però assi che non coincidono con quelli del primo: quattro, più la porta stretta tra due finestre, nella sezione sottostante il frontone, e uno per lato. Interni ed esterni sono dominati dalle armoniose proporzioni palladiane, malgrado l'estrema semplicità generale. Rispetto al disegno mancano soprattutto una termale sul prospetto principale e le barchesse, che con un portico a U su colonne trabeate avrebbero dovuto collegarsi alla villa formando un ampio cortile; esse non hanno corrispondenza negli annessi rustici esistenti.

24 – Villa Tamagnino, Negri, Lattes

Istrana, Casoni, via Nazario Sauro 50

La villa – costruita nel 1715 per il conte Paolo Tamagnino – fu una delle prime opere di Giorgio Massari; in seguito vi abitò lo stesso architetto, per passare poi in eredità ai conti Negri, che a metà dell'Ottocento la cedettero ai Lattes.
Massari (1687-1766), veneziano, si considera come elemento di transizione fra la tradizione palladiana, che riconsiderò attraverso l'opera di Baldassarre Longhena, e il neoclassicismo; questo edificio appare comunque piuttosto barocco per la spinta verticale del settore centrale che prevale sulla compostezza degli elementi ai livelli inferiori.
La casa padronale a due piani s'innalza appunto in un terzo, con serliana che sfonda il timpano di coronamento, solo nella parte mediana, raccordata al secondo piano con due ali ad arco di cerchio che raggiungono gli spigoli del fabbricato, conclusi da sfere di pietra su plinti. Tutto il settore centrale sembra integralmente estrapolato dalla facciata di un tipico

palazzo veneziano, con le serliane sormontate da specchiature quadrate. Ai lati due barchesse simmetriche ad archi su pilastri, a esedra, abbracciano, col muretto di cinta, il giardino ovale, all'italiana, con statue, vasche e cappella sul lato sud-ovest, con pala e soffitto di Amigoni, altorilievo con ritratto di Tamagnino e due dipinti di scuola di Piazzetta.
Le barchesse, collegate al corpo centrale da un'arcata per lato, coronata da terrazza limitata da balaustra con putti angolari, contengono due stemmi dogali in ferro della famiglia Dolfin, una fontana a due colonne e putti sormontata da stemma marmoreo con sigillo concesso da Napoleone a un Lat-

tes, nonno dell'ultimo proprietario, che lasciò poi la villa al Comune di Treviso. Sul muro frammenti di marmo e terrecotte provenienti dai lavori di scavo del rio Novo a Venezia. Sul retro frutteto con peschiera e statue, tra cui i busti dei dodici Cesari. La villa, riccamente arredata, conserva collezioni d'arte, soprattutto orientale, con pezzi rari, quadreria, orologi antichi, una stravagante raccolta di carillon e giocattoli meccanici, strumenti musicali, un ritratto, probabilmente l'unico, di Giorgio Massari, interessante cucina con mobili e suppellettili autentici, il tutto raccolto per lo più dall'ultimo proprietario, Bruno Lattes.

25 – Villa Barbaro, Basadonna, Manin, Giacomelli, Volpi

Maser, Strada Comunale Bassanese

Il territorio di Maser venne in possesso dei Barbaro nel 1339; la villa fu commissionata ad Andrea Palladio verso il 1560 dai fratelli Daniele – ambasciatore della Repubblica in Inghilterra e poi patriarca di Aquileia, traduttore e commentatore dell'edizione del 1556 del *De architectura* di Vitruvio, illustrato dallo stesso Andrea – e Marcantonio – ambasciatore, senatore, governatore della Terraferma, procuratore di Sopra, provveditore all'Arsenale, provveditore al Sale, scultore dilettante – per le villeggiature di quest'ultimo con la consorte Giustiniana Giustinian e i quattro figli.

Il complesso si distacca nettamente dalla produzione palladiana di villa: non sorge in piano al centro dei terreni, ma ai margini e in lieve pendio; non rispetta lo schema gerarchico degli edifici determinato dalle funzioni cosicché gli ambienti padronali proseguono nelle barchesse, solitamente adibite a soli scopi rurali, e le colombaie laterali mascherate dalle facciate con meridiane coronate da timpano e raccordi laterali ad arco rovescio gareggiano con il corpo padronale centrale aggettante, senza pronao a colonne libere ma, a due piani non fortemente marcati, incorniciato da un ordine ionico tetrastilo di semicolonne e timpano di proporzioni esagerate, con trabeazione sfondata dal balcone centrale, decorato da un altorilievo in stucco con l'arma di famiglia. La disposizione planimetrica orizzontale ricorda quella di villa Emo a Fanzolo.

Sembra che tutto questo possa attribuirsi al desiderio dei committenti di ricreare una villa classica, basandosi sulle descrizioni di Plinio della sua villa Laurentina e sulle moderne interpretazioni dell'antico nella Roma cinquecentesca. Elemento che richiama decisamente la città eterna è il ninfeo: sul retro si apre un piccolo giardino segreto rettangolare, che ospita al centro una vasca semiellittica dalla quale si accede a una grotta circolare, con la statua di una divinità fluviale che elargisce le acque della sorgente retrostante, che rifornirà fontane, peschiere, giochi d'acqua e irrigazioni di broli e frutteti, acque che sono uno degli aspetti caratterizzanti l'intero complesso; il tutto è ampiamente decorato da stucchi e sculture di Alessandro Vittoria – tranne qualche particolare di tono minore in cui

BARBARVS·PAT·AQVIL
ET·MARCVS·ANT·FR·FRANC

si può forse riconoscere la mano di Marcantonio –, nonché da dipinti di Veronese. La divinità fluviale, ormai un *topos* del giardino romano dopo il primo esempio nel cortile del Belvedere vaticano, è in Veneto del tutto inedito. L'altro elemento prettamente "romano" è il tempietto, sulla strada, a sud-est, del 1580, a pianta circolare: un Pantheon in miniatura, con la stessa proporzione cubica e simili elementi, il pronao, la cupola gradonata, le absidi alternate a edicole all'interno, con statue in stucco di Vittoria e due all'esterno in pietra tenera di Orazio Marinali; non manca però anche l'influsso della cappella del castello di Anet, di Philibert de L'Orme, sublime interprete del rinascimento francese. L'eccezionalità del complesso viene anche dal ciclo pittorico del piano nobile eseguito da Paolo Veronese assistito dal fratello Benedetto a da aiuti di bottega. Il programma iconografico sembra venire dai committenti, in particolare Daniele, uno dei più dotti umanisti dell'epoca: motivo dominante parrebbe l'Armonia, in particolare familiare, l'integrazione di mitologia e dottrina cristiana in un unico concetto di natura; guidata dai pianeti dell'Empireo, dominata dai pensieri dell'Immortalità, la vita della potente famiglia si svolge lieta nella festosa cornice campestre.

Le pareti sono incorniciate da un ordine di colonne corinzie scanalate dipinte su basamenti in finto marmo e sfondate sul paesaggio, il tutto gremito da dei olimpici, personaggi della vita quotidiana, nudi, putti, statue, cammei, in quelle che vengono chiamate stanza dell'Olimpo, del Cane, della Lucerna, la Crociera, stanza di Bacco e del Tribunale d'Amore. Gli affreschi di Maser furono presi a modello da numerosi artisti, fino a Tiepolo e seguaci, e imitati da Zelotti a villa Emo di Fanzolo e altrove.

26 – Villa Giustinian, Salice

Portobuffolè, via Giustiniani 11

Si tratta di un monumentale complesso della seconda metà del Seicento, che oltre alla villa comprende barchesse, annessi rustici, la chiesa di Santa Teresa, statue, il muro, che cintava un vasto parco ora adibito a colture, ingressi con statue, e l'ingresso in muratura con gradinata sulla Livenza, ora deviata.
L'ampia villa, che si sviluppa orizzontalmente su tre piani, è caratterizzata da due assi binati e uno esterno singolo per lato, con settore centrale ristretto ma dalla forte spinta verticale. Primo e ultimo piano hanno uguali finestre

rettangolari, il piano nobile ha finestre centinate con testine in chiave d'arco e cornice orizzontale soprastante. Nella parte centrale troviamo al piano terra ingresso e finestre rettangolari alla veneziana, direttamente connesse alla balconata superiore con trifora e cornice piana unica soprastante, una fascia neutra e in alto, a sfondare la linea di gronda, una serliana con balaustrata che illumina un abbaino, coronato da timpano con vasi acroteriali. All'interno imponente scalone decorato a stucchi, sfarzose sale ancora a stucchi in altorilievo e soffitti affrescati.
La chiesa, del 1694, ha bellissimi stucchi, marmi, un affresco secentesco, soffitto dipinto da Domenico Fabris (1807-1901) e un crocifisso ligneo attribuito ad Andrea Brustolon.

27 – Villa Giustinian, Ciani Bassetti

Roncade, via Roma 131-133

La villa venne commissionata dal procuratore Girolamo Giustinian del ramo di Santa Barbara nel 1489 circa, dopo le nozze con Agnesina Badoer, la cui famiglia possedeva fabbriche e terreni in quel sito dal Quattrocento; è però probabile che i lavori non fossero completati che intorno al 1520, a causa della guerra contro la Lega di Cambrai che infuriava in Terraferma. Si pensa di attribuire il nuovo complesso allo scultore-architetto Tullio Lombardo. Le preesistenze medievali sono rievocate da torri agli angoli della massiccia cortina muraria a merlature ghibelline con fossato e torricini cilindrici all'ingresso, che conferiscono all'insieme un aspetto alquanto insolito. Il corpo della villa rientra nella tipologia veneziana, con seminterrato, due piani a finestre centinate con semplice cornice piana e mezzanino a finestre quadrate, facciata a nove assi divisa in tre settori, di cui quello centrale spicca per la leggerezza della doppia loggia aggettante, a tre arcate su colonne, volte a vela sotto e soffitto cas-

settonato sopra, coronate da timpano. I prospetti occidentale e meridionale recavano affreschi esterni danneggiati dai bombardamenti dell'ultima guerra e restaurati nel 1947 da Mario Botter.
All'interno diversi ambienti coperti a travi e con fasce affrescate.
Nell'oratorio di Sant'Anna, del 1542-1543, attribuito a Santo Lombardo, figlio di Tullio, i busti in cotto dei fondatori, Girolamo e Agnesina, commissionati dal figlio Marcantonio Giustinian, sembrano attribuibili a Jacopo Sansovino. L'ampia corte prospiciente la villa è attualmente sistemata in due prati all'inglese ai lati del viale che porta dal ponte d'ingresso al loggiato, affiancato da statue settecentesche, e due giardinetti all'italiana fiancheggiano la gradinata della loggia; questa corte è delimitata dal muro in cui si apre l'ingresso, da due grandi barchesse laterali simmetriche addossate al recinto, con portico ad archi, e di fronte dalla villa, dai cui spigoli proseguivano in linea due muri affrescati che chiudevano i giardini segreti laterali fino al brolo piccolo, quadrato; il tutto era circondato dal brolo grande.

28 – Villa Di Rovero

San Zenone degli Ezzelini, via Bordignon 3

Il corpo centrale della villa risponde ai canoni classici della casa di campagna veneta – due piani nobili, mezzanino e trifora centrale, senza particolare apparato decorativo – ed è databile alla fine del Cinquecento, o al primo Seicento. Ai lati si sviluppano due logge simmetriche a sette archi su colonnine, al secondo livello, che si concludono con due torri qua-

drate che tornano a elevarsi nel mezzanino, formando nell'insieme un armonioso complesso che domina la vallata.
La posizione è particolarmente felice, su una collinetta con vista su altri colli degradanti in verdi vallette. Sul più alto, dietro la villa, resti del castello degli Ezzelini distrutto nel 1260; come sfondo il massiccio del monte Grappa.
Una stretta gradinata scende attraversando una cedrera; bel parco con chiesetta, giardino, barchessa, colombaia; affreschi di scuola veronesiana nel salone.

29 – Villa Emo

Vedelago, Fanzolo, via Stazione 5

La famiglia Emo, di origini antiche, era a Venezia già nel 997, proveniente dalla Grecia, e alla Serrata del Maggior Consiglio del 1297 venne iscritta al rango del patriziato; in ogni epoca diede alla Repubblica figure eminenti che rivestirono incarichi di alta responsabilità nel governo. Questa famiglia è da sempre proprietaria della villa e vi ha sempre abitato.
Leonardo Emo, provveditore per la Terraferma, luogotenente delle armate venete, governatore del Friuli a Udine, nel 1535 acquistò da Andrea Barbarigo un podere di circa quaranta ettari, che irrigò sfruttando le acque di un canale derivato dalla Brentella per convertire la cultura a saggina, a quella a mais. Su questa proprietà Leonardo pensò di erigere un'edilizia adeguata, dominicale e agricola, per sé, per i contadini, per il bestiame e i raccolti. Non si tratta, dunque, di un'architettura per gli *otii* della nobiltà.

Non fu però Leonardo ad aver modo di realizzare le proprie idee innovative, dal momento che nel 1539 non era più in vita, bensì il nipote Leonardo, primogenito del defunto figlio Alvise, che a circa vent'anni, nel 1556, aveva eretto la casa su disegni di Andrea Palladio.
Villa Emo e villa Barbaro a Maser sono gli unici esempi palladiani di disposizione rettilinea di ambienti abitativi e rustici, vale a dire un corpo centrale dominicale, sempre senza pronao aggettante ma qui con loggia interna tuscanica tetrastila, e ancora con stemma della famiglia in stucco di Alessandro Vittoria nel timpano che in questo caso corona solo il loggiato. A Fanzolo si torna a un unico piano nobile, sollevato su alto zoccolo di servizio, superato da una lunga rampa d'accesso per raggiungere l'atrio, mentre la cornice del basamento prosegue nella fascia d'imposta degli archi delle barchesse che si dipartono simmetricamente dal blocco padronale, con undici arcate per lato, terminando in due colombaie, che però non hanno l'elegante aspetto di Maser ma sono due semplici torrette a base quadra che fuoriescono dal culmine del tetto dei rustici sottostanti, mentre sul retro si possono vedere giungere sino a terra. Il piano nobile è completamente affrescato da Giambattista Zelotti – allievo di Paolo Veronese, autore degli affreschi della villa di Maser – probabilmente fra il 1561 e il 1565. Si sviluppano, inquadrati da architettura dipinta, con il predominio di colonne corinzie scanalate, l'atrio di Cerere, o forse Pale, il vestibolo, la sala, la stanza di Venere e quella di Ercole, due camerini delle grottesche, la stanza di Giove e Io, tradizionalmente riservata alla padrona, simmetrica a quella delle Arti, o del Liceo o delle Muse, riservata al padrone; qui l'Architettura indica in un libro aperto la pianta della villa, e precisamente il punto in cui si trova dipinta. L'arredo è originale del Sei-Settecento. Attualmente si trovano una collezione della civiltà contadina, ristorante con uso di camere e piscina in un ampio parco, giardino all'italiana con vialetti, aiole e statue.

Provincia di Udine

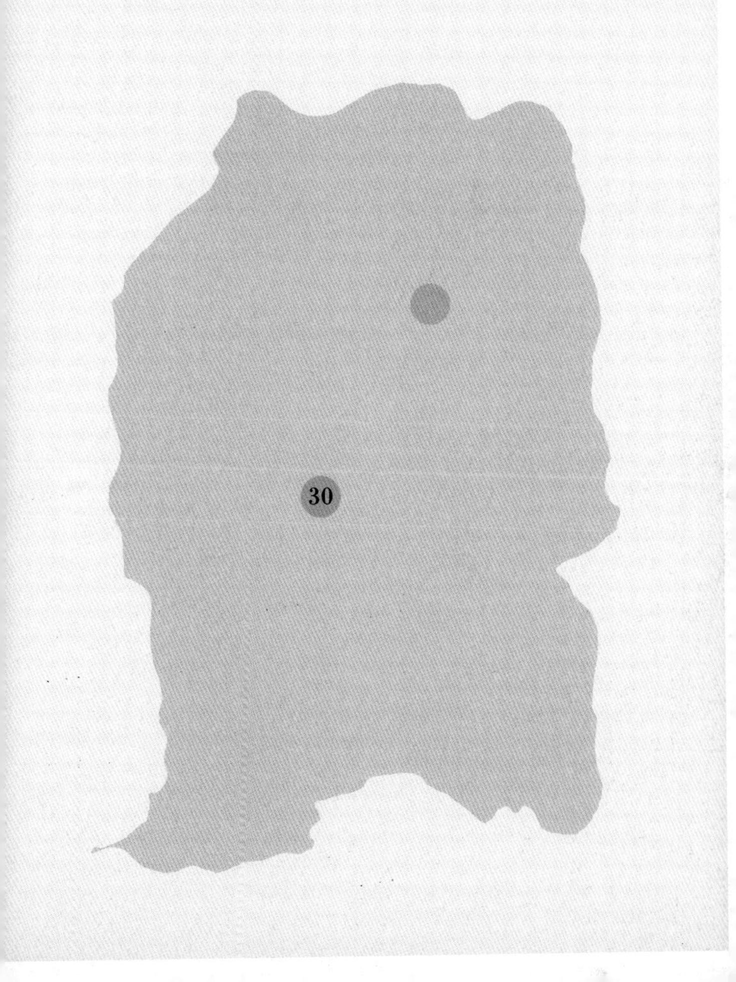

30 – Villa Manin

Codroipo, Passariano

Nella seconda metà del Settecento, si erigono le ultime ma più grandiose ville venete, rappresentative del commiato veneziano dalla terraferma. La produzione ottocentesca sarà piuttosto di case di campagna, dal legame più appariscente che formale con la secolare tradizione della villa, abitate soprattutto dalla borghesia di terraferma.

Doppiamente simbolica della caduta della Repubblica, villa Manin: il suo proprietario, l'ultimo doge Lodovico Manin, annunciò a Venezia la fine della Serenissima il 12 maggio 1797; nella villa, eletta a suo quartier generale, il 17 ottobre Napoleone firmò il trattato di Campoformio. Il maestoso complesso fu iniziato alla fine del Seicento e concluso intorno alla metà del Settecento, forse da Domenico Rossi, che nello stesso periodo lavorava per i medesimi committenti alla chiesa dei Gesuiti a Venezia e al duomo di Udine. L'ingresso, a sud, attraversa con un ponte una grande

peschiera, affiancato da due torri che fanno da testate a due ali di barchesse porticate, ad archi su pilastri e lesene trabeate, le quali formano un'esedra che contiene un vasto prato; due costruzioni all'estremità di un asse trasversale fungono da pausa spaziale come quinte teatrali, poi un altro recinto chiude il cortile d'onore, con altre due ali di barchesse rettilinee che si fronteggiano, fino allo schermo finale, perpendicolare ad esse, dell'imponente corpo della villa. Sul retro il parco prosegue, verso nord, delimitato ancora da due torri, con serre, peschiere, aranciere, giardino, piante secolari, laghetti, collinette, e ovunque, anche sugli elementi architettonici, nella cappella e nella sagrestia, sculture di Giuseppe Toretti con i collaboratori Francesco Bonazza e Pietro Baratta. Nella villa stucchi, tempere e affreschi di Louis Dorigny e altri.

Provincia di Venezia

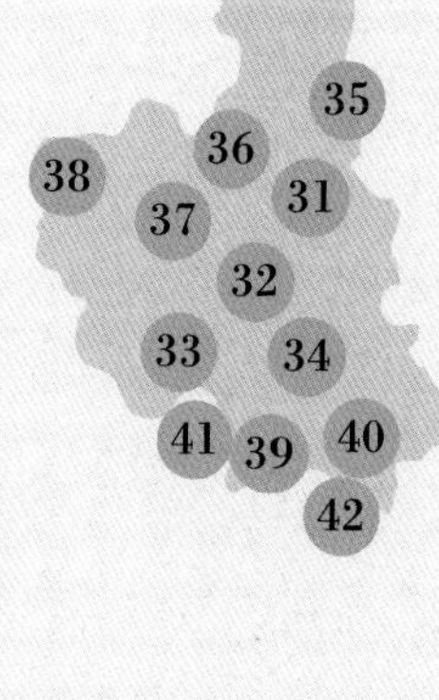

31 – Villa Ferretti, Angeli, Nani Mocenigo

Dolo, Sambruson, via Brenta bassa 41

Vincenzo Scamozzi firmò e datò 12 agosto 1596 per Girolamo Ferretti – vicentino residente a Venezia – il progetto della villa, che fu poi completata entro il 1600.
L'edificio si sviluppa in larghezza, con adiacenze parallele da un lato e perpendicolari dall'altro, e una cappella isolata, affacciandosi sul Brenta

originariamente con un giardino all'italiana con sei grandi aiole, e con una corte sul retro.
Le facciate sono scandite da lesene ioniche giganti, a quattro assi per lato, mentre i tre assi centrali si rialzano di un mezzanino, aumentando ulteriormente la proporzione delle lesene, sfondando la linea di gronda, coronati da un timpano a dentelli con stemma al centro; all'interno corrisponde al rialzo la sala grande, e per ogni lato tre stanze per piano. Si conservano tracce di affreschi e stucchi.

32 – Villa Rocca, Ciceri, Bressan (Hotel Villa Ducale)

Dolo, Casello Dodici, riviera Martiri della Libertà 75

L'edificio sorge sulla riva sinistra del Brenta, in un punto sul quale insistevano nel Settecento due «Casini Andreucci» demoliti nel nostro secolo.

La costruzione tardo-ottocentesca a due piani, ricca di elementi decorativi, è preceduta da un portico su archi che regge una terrazza.
Le statue e l'oratorio prospettante la strada risalgono invece all'epoca settecentesca.

33 – Villa Soranzo, detta «La Soranza»

Fiesso d'Artico, Barbariga, via Navigli 5

Situata sulla riva sinistra del Brenta, malgrado il nome, la villa risulta proprietà dei Soranzo di Rio Marin solo dal 1611 al 1671. Una tradizione non documentata attribuisce gli affreschi in facciata a Benedetto Caliari (1538-1598), fratello di Paolo, benché appaiano di stile più tardo, troppo ricchi di maestosi effetti illusionistici e figure movimentate, e gli stucchi e i camini all'interno ad Alessandro Vittoria (1518-1599). Struttura e distribuzione interna, col salone passante a T e stanze laterali, così come le aperture in facciata, raggruppate al centro a serliana e strettamente rinserrate tra piano terra e primo, e infine la decorazione esterna a fresco, corrispondono perfettamente al modello del palazzo veneziano, in particolare tra Cinquecento e primo Seicento; la scalinata e l'abbaino con doppie volute barocche sono posteriori; non vi è più traccia degli annessi.

34 – Villa Torre-Donati, Recanati, Olivieri, Zucconi, Fracasso

Fiesso d'Artico, Barbariga, via Naviglio 25

Sulla riva sinistra del Brenta, la villa sembra essere stata costruita, con le adiacenze, nel primo Seicento, e ristrutturata alla fine del secolo, coro-

nando il settore centrale – in leggero aggetto e caratterizzato dalle solite trifore centrali di tipo veneziano, serrate sui tre piani e a serliana con balcone nel piano nobile – con alto fastigio con pinnacoli, frontoncini e cornici spezzate a diverse curvature; tipicamente barocchi anche i fori ellittici ai lati dell'arco d'ingresso.
L'oratorio risalirebbe al 1757.

35 – Villa Foscari, detta «La Malcontenta»

Mira, Malcontenta, Moranzani, via dei Turisti 11

Si tratta del più tipico esempio di villa-tempio, unica palladiana sulla riviera del Brenta e in tutta la provincia di Venezia. Costruita per Nicolò e Alvise Foscari intorno al 1560, dopo varie vicissitudini che la videro anche in stato di totale degrado è ritornata in possesso dei discendenti di quella stessa famiglia.

Sorge isolata in un ampio parco, in forma cubica, rivolgendo il prospetto principale a nord, a pochi passi dalla riva destra del Brenta, sollevata su un alto zoccolo (espediente palladiano per difendere gli ambienti padronali dalle inondazioni – non dimentichiamo che si tratta di zone da sempre malariche –, e inserire gli ambienti di servizio) e dominata da un pronao ionico esastilo con altri due assi laterali; proprio dal più interno di questi

si giunge salendo due scale simmetriche ad angolo retto. La punta del frontone arriva alla linea di gronda dell'edificio, sormontato da un ulteriore attico-abbaino a tre finestre con piccole lesene e un secondo timpano, elemento questo assolutamente anomalo per Palladio ma che si diffonderà nel trevigiano. La facciata meridionale rivolta verso il giardino rispecchia quella settentrionale ma presenta la parte centrale, corrispondente al pronao, appena rilevata e con timpano dentellato sfondato da un'ampia termale, che con le tre porte sottostanti suggerisce il disegno di un grande, unico arcone; le finestrature laterali e l'abbaino si ripetono. I fianchi sono segnati da tre assi di semplici finestre, mentre l'intero edificio è cinto dalle due cornici che delimitano il piano nobile completamente rivestito di un motivo a bugnato gentile.
L'interno è dominato da un salone a crociera che va dalla facciata interna del pronao a quella sul retro, mentre sui fianchi è limitato da sei stanze simmetriche di misure decrescenti. Il piano nobile era stato interamente affrescato da Giambattista Zelotti e Battista Franco, con il solito sistema di inquadratura architettonica dipinta, a colonne ioniche scanalate; gli affreschi hanno subito rovinosi interventi nel corso dei secoli, e anche i recenti restauri non hanno potuto restituirli integralmente al loro aspetto originario.
Durante il Sei Settecento la villa fu ampliata creando una sorta di piazzale racchiuso da un portico a tre lati; l'intervento di demolizione operato dalle truppe austriache che nel 1848 occuparono la villa ha riportato il complesso allo stato primitivo.

36 – Villa Seriman, Foscari Widmann-Rezzonico

Mira, Riscossa, via Nazionale 418-419-420

Il complesso sorge sulla riva sinistra del Brenta, di fronte alle barchesse di villa Valmarana.

I Seriman erano mercanti armeni cattolici giunti in Europa dalla Persia nella seconda metà del Seicento. Quando Diodato Seriman sposò nel 1705 Elisabetta Tornimbeni, ottenendo tra i beni dotali i terreni di Mira, esisteva già un palazzetto, mentre furono costruite da lui barchesse, oratorio intorno al 1720, giardino e orto, muro di cinta con vistose statue, stalla, rimessa, dal momento che Diodato considerava la proprietà principalmente come una tenuta agricola.

L'incisione di Gian Francesco Costa, del 1550-1557 circa, mostra un palazzetto diverso dall'attuale e uguali barchesse e tempietto.

Nel 1751 divennero proprietari i milanesi Serbelloni; nel 1759 la villa era una costruzione bassa, nel 1782 aveva le proporzioni attuali: i Serbelloni dunque tra queste due date aggiunsero un piano nobile e un attico a croce con timpani curvilinei, finestre dalle linee inconsuete a Venezia, lombardeggianti, e conservarono l'atrio a due colonne e due pilastri, eliminando il timpano.

All'interno si trova il consueto salone da ballo a doppia altezza, arricchito da balaustra in ferro e ottone, stucchi bianchi e oro, affollati di animali e mostri, conchiglie, pesanti ricci; affreschi forse di Giuseppe Angeli (1709-1798), seguace di Giambattista Piazzetta, probabilmente con collaboratori.

37 – Barchesse di villa Valmarana

Mira, Valmarana, via Valmarana 4-15

La grande proprietà settecentesca dei Valmarana, sulla riva destra del Brenta di fronte a villa Seriman, aveva come fulcro un edificio cubico a tre piani, senza alcun tipo di decorazione, da cui si dipartivano due barchesse simmetriche, in linea, con corpo centrale a lesene ioniche terminante in una trabeazione piana, e portici laterali a pilastri e colonne binate tuscaniche. Nel secondo Ottocento la villa venne distrutta per evitare il pagamento di una tassa sulle case di lusso, mentre le barchesse, o foresterie, andarono in rovina. Quella di destra, situata proprio in una curva del Brentae quindi con due prospetti sul canale, recentemente restaurata, contiene la grande sala affrescata nel secondo Settecento con prospettive architettoniche, allegorie e paesaggi, un tempo attribuita a Giandomenico Tiepolo e ora al chioggiotto Michelangelo Schiavone detto Chiozzotto (1712-1772).

38 – Villa Farsetti, Selvatico

Santa Maria di Sala, via Roma 5

Le ville settecentesche veneziane riflettono chiaramente gli umori in cui si strugge la Repubblica, avviata alla conclusione della sua parabola, sono vistose e ricche di elementi, grandiose.
Per la prima volta da quando il rinascimento si era affermato in Veneto compaiono alcuni motivi derivati da centri europei: villa Farsetti ricorda un castello rococò francese, con la tipica fisionomia del tardo barocco "internazionale"; a tre piani, con paraste doriche, balaustrata terminale su modi-

glioni marmorei, sviluppata simmetricamente in linea a partire dal salone centrale ellissoidale, a doppia altezza, che sfonda la facciata con una superficie convessa, ha colonne e paraste corinzie e un ballatoio per l'orchestra. Due ali a due piani, concave, sono raccordate da monumentali portici a 38 colonne di marmo greco provenienti probabilmente dal tempio della dea Concordia a Roma trafugate dalla Grecia (quattro sono nel salone), cedute da papa Carlo Rezzonico, Clemente XIII, lontano parente dei Farsetti; dai portici due scaloni interni su pilastri. Sul retro sono intenzionalmente nascoste barchessa e foresteria di ordine rustico.
Il giardino era grandioso, con aiole fioritissime, pergolati di agrumi, nume-

rose statue, un lago con un'isoletta, un ippodromo, teatri, anfiteatri, ponti, fiumicelli, peschiere, rari vitigni importati con la loro stessa terra, pregevoli colture, boschetti, una naumachia, una torretta, uccelliere, terme alla romana e altro ancora.
Filippo Farsetti (1703-1774), la cui famiglia ormai veneziana aveva origini toscane, abbracciò la carriera ecclesiastica per evitare quella politica che gli avrebbe imposto il suo rango e dedicarsi allo studio delle arti e delle scienze e al collezionismo; viaggiò molto e raccolse numerosi calchi in gesso di sculture antiche sui quali studiò anche Antonio Canova, e nel 1733 ereditò i terreni di Sala, li ampliò e li irrigò adeguatamente, finché, ottenute dal papa le preziose colonne di cui si è detto, si rivolse all'architetto e scenografo romano, di nascita senese, Paolo Posi. I lavori si svolsero tra il 1758 e il 1762, parallelamente a quelli dell'orto botanico ricco di serre con agrumi e piante esotiche rarissime, tra cui la *magnolia grandiflora* oggi così diffusa.
Ora una parte dell'edificio ospita uffici del Comune di Santa Maria di Sala e la biblioteca comunale.

39 – Villa Pisani, detta «La Barbariga»

Stra, Barbariga, via Barbariga 45

Nel 1620 e poi nel 1661 i patrizi veneziani Pisani dal Banco dichiaravano di loro proprietà una casa dominicale con annessi e terreni nella contrada già dal secolo precedente denominata Barbariga, sulla riva destra del Brenta; la prima immagine che se ne ha corrisponde alla stampa di Vincenzo Coronelli (1709 ca), che presenta quella che ora è la parte centrale della villa, cioè un classico edificio veneziano, piano terra a sette assi, mezzanino a cinque, abbaino con finestra centinata e balconata, frontone con vasi acroteriali e pinnacoli laterali, semplici cornici piane di porte e finestre; annesso rustico, brolo, giardino all'italiana verso il Brenta.
L'incisione di Gian Francesco Costa (1750), mostra già modifiche e ampliamenti: terrazze sulle ali laterali, reso abitabile il rustico, rimodernato il giardino; i lavori proseguivano e nel 1772 è documentato il pittore Jacopo Guarana. Il nucleo originario è decorato da leggeri stucchi policromi, caminetti con piastrelle figurate, affreschi, ceramiche, specchi, delicate cineserie e grottesche, di gusto rococò francese. L'eleganza degli interni non era rivelata dalla sobrietà dei prospetti uguali.
Vennero infine costruite le due lunghe ali laterali, contenenti anche le ampie sale da feste; il fronte sul Brenta non ha che un frontone mediano per lato che lo caratterizzi, mentre assai più fantasioso è quello sul giardino, con un gioco di lesene e colonne ioniche binate trabeate, frontoncini triangolari che intersecano aperture rettangolari, alternate a occhi ellittici, gradinate e balconate, e si ripetono i due timpani del fronte opposto con vasi acroteriali.
Lavori sono documentati anche negli anni seguenti, quando proto della famiglia era Giannantonio Selva, a cui si può attribuire la cappella, e forse la sistemazione del giardino e del parco all'inglese; per la torre dell'Orologio in asse con la villa al di là della strada, sul retro si è pensato a Giuseppe Jappelli.

40 – Villa Cappello, Giantin

Stra, Fossolovara, via Doge Alvise Pisani 6

L'edificio sorge sulla riva sinistra del Brenta fra le ville Foscarini e Pisani; la semplice costruzione cinquecentesca fu ristrutturata nel secondo Seicento. Tutta la facciata è disegnata da un bugnato gentile simulato dall'intonaco, il seminterrato ha finestre ellittiche orizzontali, il piano rialzato finestre centinate e il mezzanino rettangolari.
La parte più caratterizzante è quella centrale: originariamente si avevano due trifore centinate con balconi, mentre in seguito il piano nobile è stato collegato a terra con una doppia rampa di scale. La trifora superiore, con testine in chiave d'arco, sfonda la linea di gronda a modiglioni, coronata da timpano con pinnacoli acroteriali e piccoli raccordi con un'altra coppia di pinnacoli laterali.
Distrutte quasi completamente le adiacenze nel parco; il giardino è modellato con basse siepi di bosso.

41 – Villa Foscarini, Negrelli, Rossi
Stra, Fossolovara, via Doge Pisani 1

La villa fu eretta dai patrizi veneziani Foscarini dopo il 1617 e prima del 1635, su un punto della riviera del Brenta di fronte al ponte che conduce a San Pietro di Stra, fiancheggiata a ovest da un affluente del naviglio. L'edificio si sviluppa in larghezza, e la facciata è divisa in tre sezioni: le due laterali hanno un doppio asse centrale e uno semplice, e sul tetto due obelischi per parte, in corrispondenza delle pareti piene; quella di mezzo, larga tre assi, è preceduta da un pronao aggettante, con alto zoccolo a falso bugnato gentile che riveste tutto il piano terra, e pronao superiore ionico tetrastilo, profondo tre assi, coronato da timpano dentellato con cornice piana in linea col cornicione, e statue acroteriali.
Un tempo dal pronao due rampe di scale scendevano a un piano rialzato su un mezzanino; il piano bugnato prosegue in due ali simmetriche con arcone coronate da terrazza balaustrata. Queste ali, la trasformazione del piano più mezzanino in un piano terra unico, nuovi cicli di affreschi

e altre sistemazioni e restauri, si devono ai nobili veronesi Negrelli, proprietari nel XIX secolo. Alla sezione centrale corrisponde il salone passante alla veneziana. Il prospetto sul giardino rispecchia quello sul Brenta, ma senza bugnato, senza aggetto centrale, con semicolonne ioniche che si ripetono anche al piano terra.
Nel giardino la foresteria, con arcate inquadrate da lesene tuscaniche, nata forse come barchessa, ospitava due appartamenti e un imponente salone per le feste, che mancava nella villa, riccamente affrescato, firmato dal prospettico bresciano Domenico Bruni (1591-1666), mentre il ciclo figurativo si attribuisce a Pietro Liberi. In fondo al giardino la scuderia, forse voluta da Marco Foscarini, doge dal 1762 al 1763, per la quale si ipotizza il nome di Giorgio Massari (1687-1766); spigoli bugnati, due portali laterali centinati bugnati coronati da frontoncino triangolare, due assi per lato di finestre bugnate e nel mezzanino ellittiche con sottile cornice rettangolare a orecchie, sezione centrale tra fasce verticali di bugne, quasi stilizzate lesene, con altre due finestre e portale nel mezzo, ancora bugnati, ma qui con frontone ad arco di cerchio, e dal cornicione timpano triangolare con stella traforata al centro e statue sugli acroteri; tutto cinto da semplici fasce marcapiano. Ben poco è rimasto del giardino all'italiana.

42 – Villa Pisani, detta «Nazionale»

Stra, Fossolovara, via Doge Pisani 6

In un'ansa del Brenta sulla riva sinistra, la famiglia Pisani di Santo Stefano aveva alcune proprietà dal primo Seicento, dove più tardi risulta costruita una piccola villa. Nel 1719 era probabilmente pronto un progetto di Girolamo Frigimelica Roberti (1653-1732) di una villa colossale per i fratelli Alvise e Almorò Pisani, per fare posto alla quale fu demolita la preesistente nel 1720; sembra che solo nel 1735, con la nomina a doge di Alvise, venisse commissionato un nuovo progetto a Francesco Maria Preti (1701-1774) e nello stesso anno avessero inizio i lavori di costruzione che si sarebbero conclusi nel 1756.
In fondo al giardino, collegate al retro della villa da un doppio viale alberato, in funzione di "ippodromo", poi sostituito dall'attuale vasca d'acqua, sorgono le scuderie, ancora opera di Frigimelica, realizzate probabilmente tra il 1719 e il 1721 (quando egli si trasferì alla corte di Modena da dove comunque continuerà a seguire i lavori) su impianto apparentemente

palladiano, con due ali a esedra e pronao centrale ionico esastilo ma sormontato da una sorta di attico a lesene e specchiature, tipicamente barocche; gioco di aggetti e rientri, esedre ad arcate bugnate con testate timpanate e una quantità di vasi e statue sugli assi.
La villa, con le sue 114 stanze, non è solo tra le ville venete più grandiose ed elaborate, ma anche tra le più atipiche: non ha il carattere tradizionale della casa veneziana, ma l'impianto a cinque ali e due giardini interni è l'evidente realizzazione del concetto di reggia principesca barocca.
La facciata si articola in modo chiaro: l'aggetto centrale, dalle colossali semicolonne corinzie, timpanato, con fregio a festoni, contiene il salone da

ballo a doppia altezza; due ali simmetriche a quattro assi di finestre e lesene binate si concludono con due corpi ancora aggettanti con quattro lesene timpanate, che sono le testate delle ali perpendicolari.
Il piano terra è pressoché spoglio e le decorazioni iniziano dallo scalone con divinità greche lignee attribuite ad Andrea Brustolon e soffitto di Jacopo Guarana; un'*enfilade* di salotti con corridoio perimetrale conserva tra gli arredi dipinti di Celesti, Nazzaro, Zuccarelli; affreschi e pitture di Jacopo Amigoni, Fabio Canal, Giambattista Crosato, Francesco Simonini, S. Ricci, Giuseppe Zais, inoltre ceramiche, cineserie, lumiere di vetro, di cristallo e vetro dorato.

Del progetto di Frigimelica rimane anche la realizzazione del parco di dieci ettari, esempio grandioso di giardino settecentesco veneto, su tracciato geometrico ricco di punti focali e assi prospettici: vasche, serre, coffee house, esedra esagonale a lati curvilinei, labirinto con torretta belvedere, rustici, magazzini, case, casini, scuderie, rimessa delle carrozze, casa dei pompieri, cedraie a forma di gallerie, arancera, brolo, aiole, statue – alcune di Antonio Gai (1686-1769) ma le più di Giovanni Bonazza (1654-1736) e suo figlio Tommaso (1696-1775) –, viali, barchesse, boschetti. Anche per quanto riguarda il giardino, le idee classiche si fondono con i modelli imperanti in Europa; i giardini segreti, le corti e i broli chiusi, tipicamente veneti, validi per Palladio e Scamozzi, non sembrano più esserlo alla fine del Seicento: qui anche il parco, per dimensioni e impianto rompe con i modi e le misure della tradizione. Ai lati della villa due portali di ordine rustico, affiancati da finestre, si aprono nel muro di cinta percorso dall'orditura del finto bugnato e inquadrano due gruppi marmorei della bottega di Bonza, già eretti nel 1724, prima della villa e dell'impianto del parco; verso Padova il recinto è interrotto dal portale del belvedere affiancato da due colonne corinzie su cui si avvolgono le scale a chiocciola in ferro fino alla terrazza, con loggia timpanata centrale.
Ma il capolavoro della villa, commissionato nel 1760, è l'affresco a soffitto dell'*Apoteosi della famiglia Pisani*, con il *Pappagallo* e le coppie di *Satiri* e *Satiresse* opera nel salone da ballo di Giambattista Tiepolo – che il 31 marzo 1762 partirà per Madrid per non più ritornare – in collaborazione con il figlio Giandomenico, Gerolamo Mengozzi detto il Colonna e Pietro Visconti, che eseguono il resto delle decorazioni.
Si tratta di una delle più alte creazioni di Giambattista: vi «realizza una vera e propria *summa* della propria arte, stupenda per le qualità virtuosistiche degli scorci, per la inimitabile bravura nel dare unitarietà e vita all'insieme eterogeneo delle figurazioni allegoriche più disparate, per il rigoroso equilibrio della composizione, per la magnifica sinfonia di luce e di squillanti colori» (*Giambattista Tiepolo: i dipinti*). I personaggi settecenteschi, così reali nei loro abiti, appaiono quasi rapiti dalle raffigurazioni allegoriche nude che li sovrastano e li sorreggono: questo soffitto sembra simboleggiare non tanto la fine di Venezia quanto la sua quasi prevista trasfigurazione da realtà a leggenda.

Provincia di Verona

43

45

44

43 – Villa Della Torre, Cazzola

Fumane, via Della Torre 19

Nel cuore della Valpolicella, tra pendii che si fanno più scoscesi alle sue spalle, il complesso si sviluppa lungo un asse longitudinale, che partendo dall'alto oltrepassava l'entrata e attraversava il brolo lungo un viale alberato, scendeva nel cortile d'ingresso tenendo alle spalle, nell'angolo sinistro, il tempietto, entrava nella villa superando il peristilio con fontana

centrale, usciva alla peschiera tagliata da un ponticello, scendeva nel giardino inferiore con ingresso alla grotta – motivo assai in auge durante il Rinascimento –, cintato da alte mura che lo separavano da due strade; oltre si estendevano i campi, irrigati dalle acque che avevano seguito praticamente lo stesso percorso lungo l'asse mediano. Si tratta sostanzialmente dello schema opposto a quello palladiano: non aperto verso la natura, ma richiuso in se stesso, con prospetti esterni insignificanti e interni assai ricchi, preziosi e fantasiosi, benché "rustici", vale a dire informati all'am-

biente naturale. Ma il centro dell'insieme è il peristilio, colta citazione antichizzante della casa romana, alieno dal modello della villa veneta, retto però da pesanti pilastri formati da grosse bugne, assolutamente rustici. Gli interni erano affrescati e poi decorati a stucchi, ma ben poco rimane se non i suggestivi camini a mascheroni.
Sembra che la villa potesse essere già conclusa nel 1561, ma ancora più misteriosa è l'identità del progettista: le proposte di attribuzione più convincenti avanzate finora indicano Giulio Romano e Michele Sanmicheli, entrambi abili nell'uso degli elementi all'antica così come in quelli rustici e grotteschi, ma nessuno ha ancora saputo far maggior luce sulla questione.

44 – Villa Allegri, Arvedi

Grezzana, Cuzzano, via Valpantena

In posizione pittoresca a mezza costa, nelle Prealpi veronesi, la villa fu ristrutturata da Giovanni Battista Bianchi intorno al 1656: nel settore centrale un portico a cinque archi scemi su colonne tuscaniche bugnate regge la grande terrazza balaustrata del piano nobile, a semicolonne e lesene doriche; sfonda la linea di gronda un fastigio con telamoni, coronato da balaustra e statue. Le ali proseguono con corpi simmetrici a un piano con terrazze superiori e torrette in testata.

All'interno salone d'onore, sala d'armi e salone centrale con soffitto affrescato da Louis Dorigny, scalone a linea curva, arredi secenteschi.

Il giardino all'italiana rivolto alla vallata risale probabilmente al secondo Settecento: l'originale *parterre* si avvicina al gusto francese nella linea barocca delle bassissime siepi di bosso che seguono un unico disegno; tra queste enormi cespugli di bosso di almeno due secoli, fontana centrale, grotta con statue, altre fontane e varie decorazioni, voliera. Sul retro della villa si apre verso la collina una corte a esedra con scenografico scalone centrale della chiesa di San Carlo; alle estremità stalle e gastaldia sovrastate da colombaie. Infine verso nord una doppia scalinata sale a un viale di cipressi che esce dal brolo.

45 – Villa Serego, Alighieri

San Pietro in Cariano, Pedemonte, Santa Sofia, via SAnta Sofia 1-8

Il complesso fu progettato da Andrea Palladio per Marcantonio Serego forse nel 1569, ma ne è stata realizzata una minima parte. Si tratta dell'unica villa palladiana in territorio veronese, ma soprattutto della più insolita, non già basata sugli schemi usuali che l'architetto ha maturato di villa in villa, con sperimentazioni che generalmente pur sempre li consolidavano, ma su qualcosa di decisamente diverso.

Già dall'osservazione del costruito si ha una notevole sorpresa: il doppio portico è retto da pesanti colonne ioniche, con capitelli di tipo arcaico, ma soprattutto di ordine gigante e bugnate! Mai Palladio aveva utilizzato questo stilema nelle sue ville, anche se la conoscenza dell'opera veronese di Michele Sanmicheli, e di quella mantovana di Giulio Romano, maestri del genere rustico, e soprattutto del rustico sapientemente mescolato al classico, aveva prodotto alcuni effetti nei palazzi vicentini di Andrea. E appunto questo rustico si raffina procedendo verso l'alto, si "nobilita" allontanandosi dal terreno, coi balaustrini della loggia, coi capitelli – per

quanto a volute in piano e non diagonali ma pur sempre accuratamente scolpiti – per trionfare nella trabeazione, con architrave a tre fasce, fregio finemente decorato e cornicione dentellato. Ma qualcosa della logica palladiana è presente: nel progetto originario questi portici erano adibiti alle funzioni agrarie della tenuta, e quindi il loro aspetto doveva essere "rustico"; inoltre i bracci sono aperti verso la campagna, per ottenere la maggior fusione con la natura.
Ma se già fino a qui non è azzardato il richiamo a palazzo Te di Giulio Romano, e maggiormente a villa Della Torre, attribuita alternativamente allo stesso Giulio Romano o a Sanmicheli, il confronto con i disegni de *I quattro libri dell'architettura* richiama ancora più decisamente queste due opere: dall'altra parte delle barchesse era infatti previsto un peristilio rettangolare con fontana al centro, vale a dire un elemento della Roma antica e rinascimentale ripreso in entrambe le opere succitate, e non solo, anche, nella variante palladiana di tre ali costruite e una chiusa da un muro, benché qui si abbiano comunque quattro lati porticati, della strepitosa villa Garzoni del fiorentino-romano, maestro di stilemi all'antica, Jacopo Sansovino. Oltre il peristilio un'esedra colonnata con una seconda fontana chiudeva la prospettiva.
Il frammento palladiano è stato più tardi inserito in un giardino e parco con statue.

Provincia di Vicenza

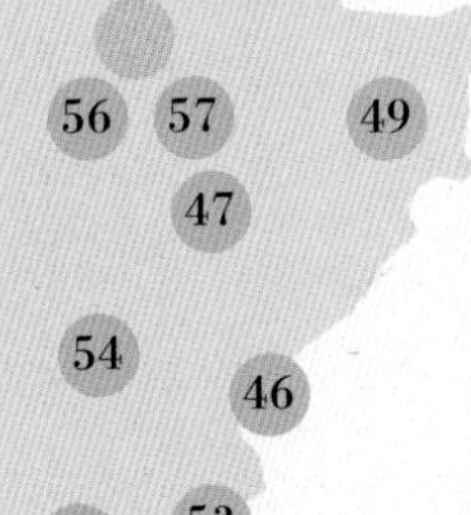

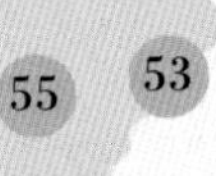

46 – Villa Saraceno, Caldogno, Saccardo, Peruzzi, Schio, Lombardi

Agugliaro, Finale, via Finale 8

Pubblicata nel trattato di Palladio la villa gli viene attribuita, anche se la realizzazione ha riguardato il solo corpo centrale, tra il 1546 e il 1555, e nel secolo successivo due barchesse, ma non il vasto porticato dorico che

avrebbe dovuto circondarla, terminando con due torrette cilindriche. Tipologicamente e cronologicamente è accomunabile a villa Gazzotti a Bertesina, villa Caldogno e villa Pisani a Bagnolo, per la triplice arcata, qui assai semplificata, coronata da timpano. Nel corso dei secoli ha subito pesanti modifiche ma è stata recentemente restaurata. Il committente, Biagio Saraceno, faceva parte della nobiltà minore vicentina e la sua famiglia aveva già sviluppato notevoli interessi agricoli nella zona.

47 – Villa Franceschini, Priante, Anti Sola, Pasini, Canera di Salasco

Arcugnano, via Roma 5

La villa fu fatta costruire dal produttore di sete vicentino Franceschini tra il 1770 e il 1779 a Ottavio Bertotti Scamozzi (1719-1790), curatore de *Le fabbriche e i disegni di Andrea Palladio*.
La posizione offre un panorama invidiabile, sulla dorsale delle alture vulcaniche tra la valle del Retrone e quella del Bacchiglione.
Quello che in Palladio era un pronao, generalmente aggettante, d'ingresso al piano nobile sollevato su un basamento-mezzanino, qui diventa la loggia esastila a colonne corinzie, a filo della parete e con gli intercolumni laterali ristretti e murati, di un piano nobile e del mezzanino superiore, appoggiati su un piano intero, in cui si apre l'ingresso alla villa attraverso una serliana centrale assai modesta. Nel secondo Ottocento Negrin aggiunse delle adiacenze di gusto romantico; statue nel giardino, all'interno stucchi neoclassici e collezioni pittoriche e di alto antiquariato.

48 – Villa Rezzonico

Bassano del Grappa, Riva, via Ca' Rezzonico 60

Costruita probabilmente fra Sei e Settecento, di attribuzione incerta (si è voluto pensare a Baldassarre Longhena!) segue lo schema della villa-castello, con corpo a due piani e bugnato angolare, ristretto fra quattro torri angolari a tre livelli, ma cornice che prosegue la linea di gronda, e semplice portale barocco.

Salone centrale scenografico, articolato da colonne anulate e archi bugnati, balaustre, stucchi e cornici, sculture, con la *Fede* dipinta da Antonio Canova, l'*Aurora* di Antonio Pellegrini, la *Notte* e la *Carità* di Busato e al soffitto grande tela di Giambattista Volpato; ricca collezione di antichità. Interessanti le barchesse che fronteggiandosi formano un cortile con la villa, opera forse del bassanese Antonio Gaidon: hanno colonne tuscaniche bugnate e binate agli angoli e sotto il frontoncino centrale.

49 – Villa Chiericati, Da Porto, Ongarano, Rigo

Grumolo delle Abbadesse, Vancimuglio, via Nazionale 1

Secondo un disegno palladiano ora a Londra, il progetto risalirebbe al 1551, come quello di palazzo Chiericati, che con i suoi colonnati domina la piazza di fronte al teatro Olimpico. Committenti dei due edifici i fratelli Chiericati, Girolamo per il palazzo e Giovanni per la villa, realizzata tra il 1554 e il 1558. La mancanza di barchesse o altri annessi agricoli la fa supporre destinata a dimora padronale.
La villa segna una tappa fondamentale nell'evoluzione del linguaggio palladiano, perché per la prima volta compare, in facciata, un pronao su colonne, vale a dire l'elemento che per eccellenza rappresenterà la tipologia della villa veneta, palladiana e neopalladiana, con tutti i suoi sviluppi, europei e oltre, nel corso dei secoli.
L'esecuzione, però, probabilmente trascurata dall'architetto, è sensibilmente variata rispetto al progetto originale, tanto da aver suscitato forti dubbi sulla sua paternità: il pronao ionico è notevole ma un po' eccessivo per il piccolo edificio e la gradinata d'accesso piuttosto umile; assolutamente non palladiane sono le colonne prive di entasi (il leggero rigonfiamento del fusto che simboleggia il peso sostenuto, tratto dagli esempi greci). Mutata è la distribuzione interna, che anche se equilibrata determina uno degli elementi da sempre più criticati del prospetto principale: la posizione delle due sale rettangolari trasversali, ai lati dell'ingresso, con i loro camini al centro della parete di facciata, costringe le finestre troppo vicino agli spigoli dell'edificio, che infatti presentano reali indebolimenti strutturali, oltre che visivi. Si tratta di un vero "errore" architettonico, costruttivo ed estetico, sconsigliato dallo stesso Palladio nei suoi *Quattro libri dell'architettura*: «Devono le finestre allontanarsi da gli angoli, o cantoni della fabrica: perciòche non deve essere aperta e indebolita quella parte, la quale ha da tener dirito e insieme tuto il restante del-l'Edificio» (I, p. 55).

50 – Villa Pisani, De Lazara Pisani, Ferri De Lazara

Lonigo, Bagnolo, via Risaie 1

La progettazione della villa è databile tra il 1541 e il 1542, e il completamento della costruzione al 1544: si tratta quindi della seconda villa attribuita a Palladio, dopo villa Godi, tra le prime opere commissionategli al ritorno dal suo viaggio a Roma del 1541, e la prima per un patrizio veneziano, Giovanni Pisani.

Edificata sui resti di un edificio trecentesco appartenuto al nobile vicentino Girolamo Nogarola, espropriato dei suoi beni per comportamento antiveneziano nel corso della sofferta guerra contro la lega di Cambrai, presenta per la prima volta nel Rinascimento tra le due torri di memoria medievale l'ispirazione a un tempio classico applicata a un edificio profano, vale a dire il triplice fornice inserito in un ordine trabeato reggente timpano triangolare, che in seguito, con villa Chiericati, si svilupperà nel pronao d'ingresso emblema per eccellenza del palladianesimo e del neopalladianesimo in tutto il mondo e in tutte le epoche.

La facciata principale guarda il fiume Guà, successivamente dotato di un alto argine che deturpa fortemente l'originaria immagine del prospetto. La loggia dorica bugnata ricorda porta Nuova di Michele Sanmicheli a Verona come pure il lato nord di palazzo Te di Giulio Romano a Mantova, mentre la sua pianta biabsidata è forse memore della loggia raffaellesca di villa Madama a Roma. L'insieme di ordine dorico, bugne e torri, richiama un'idea non di raffinata eleganza ma di rustica forza e concretezza.

Dalla loggia si accede a una sala centrale a T con volte a crociera, rilettura all'antica del salone passante di origine bizantina presente nei palazzi veneziani d'ogni epoca, nel senso della spazialità degli ambienti termali romani, illuminato da una finestra detta appunto termale o palladiana, unico elemento caratterizzante del semplice prospetto sul giardino.

Poco rimane degli affreschi interni.

51 – Villa Godi, Porto, Piovene, Valmarana, Malinverni

Lugo di Vicenza, Lonedo, via Andrea Palladio

Sulle pendici orientali della Valdastico, come un grosso volume geometrico appena mosso dallo slittamento della parte centrale, in aperto contrasto con la facciata a pronao, perpendicolare a essa, della vicina villa Piovene Porto Godi, la fabbrica è «posta sopra un colle di bellissima vista, et acanto un fiume, che serve per Peschiera. Per rendere questo sito commodo per l'uso di Villa vi sono stati fatti cortili, e strade sopra volti con non picciola spesa» (*I quattro libri dell'architettura*, II, cap. XV), descrive Palladio riferendosi al retrostante cortile pensile, con pozzo centrale e splendida veduta, mentre la sistemazione del giardino antistante è settecentesca.
Ritenuta la prima villa progettata da Palladio, forse intorno al 1537 e costruita tra il 1540 e il 1542, sembra il prototipo opposto di quello che egli svilupperà in seguito per l'abitazione di campagna: l'ingresso principale non è sporgente, magari a pronao trabeato, ma arretrato, mentre avanzano le due ali laterali, racchiudendo una loggia a tre archi che risulta anche leggermente oppressa dalle strutture che l'affiancano; inoltre manca uno sviluppo di ali laterali e la fabbrica si risolve in un severo blocco unico. Quando Palladio la pubblicherà nel suo trattato trent'anni più tardi le conferirà infatti uno sviluppo molto più verticale e slanciato di quello prettamente orizzontale e statico che le compete, che ricorda villa Trissino a Cricoli, la ristrutturazione di Gian Giorgio Trissino nel cui cantiere lavorò anche Andrea.
La sobrietà esterna racchiude i ricchi affreschi commissionati da Girolamo Godi a Giambattista Zelotti e aiuti, Battista del Moro e Gualtiero Padovano.
Sono presenti anche un museo dei fossili raccolti da Andrea Piovene, una galleria di quadri dell'Ottocento Italiano, un notevole parco e una tavernabirreria.

52 – Villa Piovene, Porto, Godi

Lugo di Vicenza, Lonedo, via Andrea Palladio 51

Assai controversa è l'attribuzione di questa fabbrica, ritenuta da alcuni palladiana anche per l'estrema vicinanza alla prima villa da lui progettata, Godi, Porto, Piovene, Valmarana, Malinverni; il pronao esastilo ionico data al 1587, e le ali laterali sono caratterizzate da un'estrema semplicità. Particolarmente felice l'ambientazione, esaltata dalla scenografica scalinata a ritmo assai lento che dal ricco portale inferiore giunge alla grandiosa gradinata a tenaglia del pronao, il tutto, come le barchesse laterali con portici dorici slanciati, opera intorno al 1740 di Francesco Muttoni, mentre le numerose statue sono di Orazio Marinali.
Tommaso Piovene ne fu il primo committente, mentre il conte architetto Antonio Piovene, proprietario ottocentesco, ne sistemò il parco romantico. L'oratorio di San Girolamo risale al 1496.

53 – Villa Barbarigo, Loredan, Rezzonico (Municipio)

Noventa Vicentina, piazza IV novembre

Per il progetto della villa, costruita tra 1588 e 1590, si sono fatti i nomi di Palladio e di Scamozzi, ma l'ignoto architetto non era probabilmente di ambito vicentino ma veneziano. L'edificio si presenta estremamente imponente e si può considerare come un'arbitraria interpretazione barocca del bagaglio formale palladiano: come non ricordare, nel complesso gioco di colonnati tuscanici e ionici e binati di colonne – che peraltro proseguono nelle barchesse che circondano la piazza – il vicentino palazzo Chiericati. Il triplo aggetto della sezione centrale nasconde un nucleo cubico, tagliato orizzontalmente dalla successione dei colonnati tuscanici e slanciato in verticale dalla scalea, dalla sovrapposizione delle logge e dalle esagerate cuspidi – particolare stravagante – "quasi" angolari. Gli interni sono arricchiti da affreschi di Antonio Vassillacchi detto l'Aliense e Antonio Foler.

RESIDENZA MUNICIPALE

54 – Villa Fracanzan, Dal Ferro, Orgiano, Marsilio, Piovene Porto Godi

Orgiano, via San Francesco 2

Secondo parere quasi unanime opera del 1710 di Francesco Muttoni, che rimanda al linguaggio palladiano con l'alto abbaino a lesene e il frontoncino sagomato che sovrasta il pronao tetrastilo composito. Al lato sinistro si snoda un lungo porticato ad archi bugnati, mentre l'ingresso è sottolineato da uno scenografico viale che si allunga per circa un chilometro tra un doppio filare di carpini; non mancano cappella, limonaia, granaio, casa dell'orologio con voliera liberty, peschiere, casa contadina e intatto tutto il giardino impostato secondo lo schema di Versailles e dei parchi tedeschi.
All'interno diverse sale costituiscono un raro esempio di architettura settecentesca, ma soprattutto unico esemplare in Europa è la cucina secentesca, con collezione di attrezzi e il famoso acquaio in marmi pregiati che Napoleone avrebbe voluto per il Louvre.

55 – Villa Pojana, Miniscalchi Erizzo, Bettero, Chiarello

Pojana Maggiore, Castello, via Castello 41

La villa venne commissionata prima del 1550 a Palladio da Bonifacio Pojana, di famiglia vicentina fedelissima alla Repubblica di Venezia e di consolidate tradizioni militari, e completata entro il 1563, con decorazioni interne in pittura, stucco e scultura di Bernardino India, Anselmo Canera, Giambattista Zelotti e Bartolomeo Ridolfi. Ciò che risulta costruito non corrisponde in pieno alle tavole de *I quattro libri* palladiani né ai disegni preparatori, che comprendono un globale progetto di riorganizzazione dell'area attraverso un sistema di portici, barchesse, cortili.
L'aspetto richiama nella sua composta eleganza la sobrietà e l'austerità della

vita militare, così come di soggetto per lo più guerresco sono le raffigurazioni interne, chiaro riferimento all'attività preponderante dei proprietari. Il prospetto principale, interamente in mattone intonacato, è dominato da una serliana priva di ordini coronata da una ghiera di cinque oculi compresi tra essa e un arco superiore. La serliana viene utilizzata così spesso da Palladio, in numerose varianti, da rappresentarne una firma; egli la riprende dall'architettura romana, sia antica che rinascimentale, mentre la ghiera di oculi è un motivo lombardesco introdotto a Roma da Bramante, che lo inserisce nel presbiterio di Santa Maria delle Grazie a Milano e nel ninfeo di Genazzano, e lo propone nel progetto dei deambulatori della basilica di San Pietro. Raffinato è anche l'impiego delle finestre "a orecchie", derivate dal tempio della Sibilla a Tivoli tramite la mediazione di Raffaello.

56 – Villa Almerico, Capra, Valmarana, detta «La Rotonda»

Vicenza, Riviera Berica, via della Rotonda 25

Anche se completata da Vincenzo Scamozzi intorno al 1585, è tra le ville maggiormente fedeli nell'esecuzione al progetto originale di Palladio, risalente probabilmente al 1566, e la più rappresentativa della tipologia della villa palladiana, assurtane a modello, benché fosse stata commissionata dall'alto prelato Paolo Almerico come palazzo di città, e così pubblicata dall'architetto nel suo trattato.
La costruzione realizza la sintesi di alcuni motivi peculiari dell'arte rinascimentale: innanzi tutto la risoluzione pratica del tipo ideale dell'edificio a pianta centrale su cui tanto si erano esercitati i maggiori architetti quattro-cinquecenteschi, da Brunelleschi, Francesco di Giorgio, Leonardo, Bramante, a Raffaello, Antonio da Sangallo e Peruzzi, accentuata dalla rotondità della sala centrale e dal perno della cupola, che anzi nei disegni de *I quattro libri* risultava più alta adempiendo così maggiormente alla sua funzione centripeta, equilibrata da quella centrifuga dei quattro pronai ionici. Tale centralità fu suggerita a Palladio dall'ubicazione della villa, che domina una distesa di dolci colline coltivate da un «monticello di ascesa facilissima [...]. Onde perché gode da ogni parte di bellissime viste» (II, cap. III), e dunque concretizza felicemente il principio dell'inserimento armonioso del manufatto nel paesaggio, la serena fusione tra uomo e natura.
Ma l'edificio attua un'altra sintesi teorizzata e ricercata durante il rinascimento e oltre, vale a dire quella tra le arti: architettura, scultura, pittura, arredo del paesaggio, efficacemente concertate: ecco le statue esterne di Lorenzo Rubini e Giambattista Albanese, i caminetti decorati da Bartolomeo Ridolfi, gli affreschi di Alessandro e Giambattista Maganza, di Ludovico Dorigny e Aviani, stucchi di Rubini, Ruggero Bascapè e Domenico Fontana, la cappella, isolata, attribuita a Carlo Borella, il tutto inserito in un giardino di tipo paesaggistico all'inglese.

Bibliografia

ALPAGO NOVELLO, A., *Le ville della Provincia di Belluno*, Milano, 1968 (1982²)

AZZI VISENTINI, M. (a cura di), *Il giardino veneto*, Milano, 1988

BALDAN, A., *Ville venete in territorio padovano e nella Serenissima Repubblica*, Abano Terme, 1986

BALZARETTI, L., *Ville venete*, Milano, 1965

BASSI, E., *Ville della provincia di Venezia*, Milano, 1987

BÖDEFELD GERDA-HINZ, B., *Ville Venete*, Milano, 1990

CANOVA, A. (a cura di), *Di villa in villa. Guida alla visita delle Ville Venete*, Treviso, 1990

CEVESE, R., *Ville della provincia di Vicenza*, Milano, 1971 (1980²)

GEMIN, M.; PEDROCCO, F., *Giambattista Tiepolo: i dipinti. Opera completa*, Venezia, 1993

MAZZOTTI, G. (a cura di), *Le ville venete*, ristampa anastatica della III ed. 1954 con premessa di L. Puppi, Treviso, 1987

PALLADIO, A., *I quattro libri dell'architettura*, in Venetia, appresso Dominico de' Franceschi, ristampa anastatica Milano, 1980

PADOAN, A.; PRATALI MAFFEI, S.; DALPOZZO, D.; MAVIAN, L. (a cura di) *Ville venete.*, Venezia, 1996

SCARPARI, G., *Le ville venete*, Roma, 1980 (1984²)

SEMENZATO, C., *Le ville del Polesine*, Vicenza, 1975

TIOZZO, C. B., *Le ville del Brenta da Lizza Fusina alla città di Padova*, Venezia, 1977

VENTURINI, G., *Il Terraglio e le sue ville*, Mogliano Veneto, 1977

VIVIANI, G. F. (a cura di), *La villa nel veronese*, Verona, 1975

Finito di stampare
nel mese di Febbraio 1999
presso EBS – Editoriale Bortolazzi-Stei
San Giovanni Lupatoto (Verona)